NOUVEAU ROND-POINT 3

B2

Méthode de français basée sur l'apprentissage par les tâches

LIVRE DE L'ÉLÈVE + CD AUDIO + RESSOURCES EN LIGNE

Filomena Capucho
Monique Denyer
Josiane Labascoule
Aurore Rébuffé
Corinne Royer

Conseil pédagogique et révision : **Katia Coppola, Philippe Liria et Eulàlia Vilaginés**

Editions Maison des Langues, Paris

Le Nouveau Rond-Point 3

Quand nous avons lancé **Rond-Point** en 2004, nous étions loin d'imaginer la dimension qu'allait prendre la démarche pédagogique que nous proposions alors, celle d'une approche par les tâches dans une perspective actionnelle. Depuis, le *Cadre européen de référence pour les langues (CECRL)* est devenu le document sur lequel s'appuie la plupart des établissements d'enseignement du français langue étrangère (FLE) en France et dans le monde entier.

Le succès de Rond-Point nous a motivé depuis à lancer la collection **Nouveau Rond-Point**. C'est le troisième niveau, **Nouveau Rond-Point 3**, que vous avez entre les mains. Nouveau parce qu'il fallait mettre à jour ce niveau B2 du CECR à partir des apports que la recherche en didactique d'une part et les commentaires des dizaines de milliers d'utilisateurs, enseignants et apprenants, d'autre part, nous ont fait parvenir, sans pour autant renoncer au parti pris pédagogique de Rond-Point.

Une révision en profondeur

Ainsi, ce **Nouveau Rond-Point 3** a été l'objet d'un profond travail de remaniement des unités : lexique, grammaire, dynamique des activités et tâches ont été entièrement revus dans le souci de garantir un contenu en parfaite harmonie avec les recommandations du CECR et du référentiel B2.

Le nombre d'unités (9), dont deux entièrement nouvelles, permettra aussi un découpage mieux adapté aux besoins des programmes.

Le niveau B2 implique de la part de l'apprenant un travail plus approfondi dans ses compétences à débattre, argumenter, défendre ses opinions et un renforcement de sa capacité à agir en pleine autonomie. Nous avons pris en compte ces aspects et les avons renforcés dans ce **Nouveau Rond-Point 3** : l'interaction et la négociation, notions-clés de la perspective actionnelle, sont donc omniprésentes dans le manuel et contribueront à ce que les apprenants acquièrent les compétences visées par le CECR.

Cette mise à jour, ambitieuse et indispensable, nous a mené à introduire des changements en profondeur dans la dynamique des unités. Nous avons ainsi ajouté la partie *En contexte*, déjà présente dans les niveaux A1, A2 et B1: elle permettra de renforcer un apprentissage à partir de multiples documents authentiques, écrits (articles de presse, extraits de roman, billets de blog...) ou sonores (conférences, interviews, micro-trottoirs...).

Autre nouveauté importante, le *Dossier culturel* : placé à la suite des unités, il complète les données sur des faits culturels et civilisationnels et renforce ainsi les compétences interculturelles des apprenants. Ce dossier, indépendant, reprend des thèmes abordés dans le manuel mais peut être traité de façon transversale.

Ont été aussi ajoutés des encadrés de stratégies pour inciter les apprenants à développer leur autonomie et une rubrique *La parole est à vous* qui recueille le témoignage de trois personnages à suivre tout au long du manuel. Ils apportent leur point de vue sur les différentes questions abordées dans les unités.

Un prolongement en ligne pour aller plus loin

Pour compléter le contenu des unités, nous proposons de retrouver en ligne des indications renvoyant à des sites en lien avec chaque unité. Ce complément d'informations est indiqué dans le manuel sous le titre *Pour aller plus loin*. Cette partie en ligne sera régulièrement mise à jour à partir des suggestions que vous nous enverrez. Elle complète l'offre numérique qui comprend le *Livre de l'élève* et le *Cahier d'activités*, ainsi que le *Guide du professeur*.

Un nouvel habillage pour plus d'efficacité

Cette refonte des contenus et de la dynamique est accompagnée d'un travail de mise à jour graphique et iconographique important. Nous espérons que vous apprécierez cette nouvelle maquette, que nous avons voulu claire et moderne pour aider à rendre plus efficace et plus agéable encore l'enseignement et l'apprentissage.

Le plaisir d'apprendre

Au-delà des concepts méthodologiques qui sous-tendent ce manuel, nous avons surtout voulu, avec ce **Nouveau Rond-Point 3**, vous proposer un manuel où le plaisir sera le moteur ou, mieux encore, la motivation pour apprendre le français.

Les auteurs et la rédaction

Dynamique des unités

Les unités du **Nouveau Rond-Point 3** sont organisées de façon à apporter à l'apprenant l'ensemble des compétences langagières et communicatives nécessaires à la réalisation de chacune des tâches finales. **Nouveau Rond-Point 3** amène progressivement l'apprenant à acquérir les savoirs et les savoir-faire pour communiquer et surtout interagir en français. Chaque unité comprend quatre doubles pages.

1e double page : Ancrage

L'entrée en matière

Cette double page permet à l'apprenant d'aborder l'unité à partir de ses connaissances préalables du monde et, éventuellement, de la langue française. Elle cherche ainsi à rassurer l'apprenant qui pourra mobiliser des compétences acquises dans d'autres domaines.

Les documents déclencheurs de cette double page sensibilisent l'apprenant au thème et aux objectifs de l'unité.

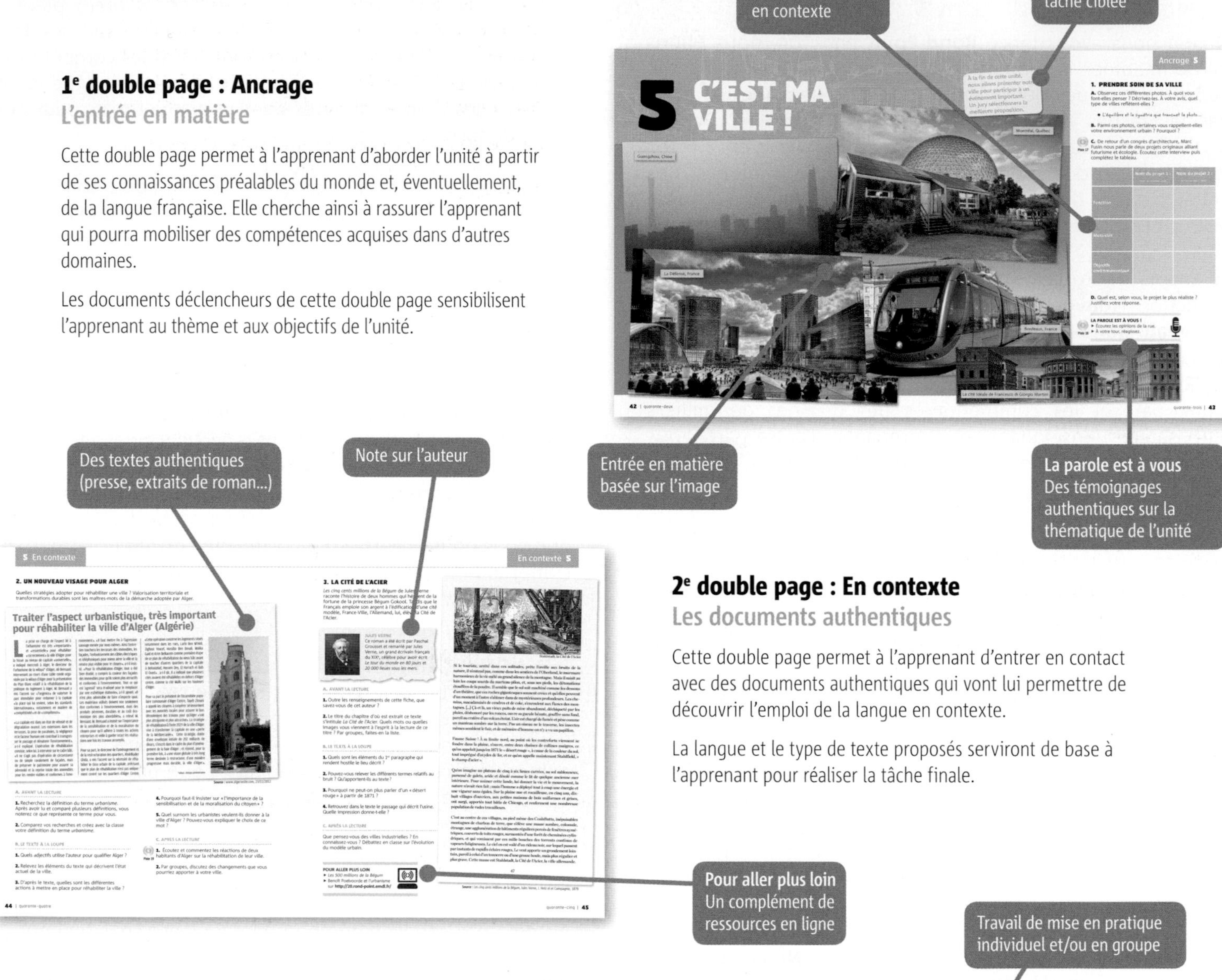

2e double page : En contexte

Les documents authentiques

Cette double page permet à l'apprenant d'entrer en contact avec des documents authentiques qui vont lui permettre de découvrir l'emploi de la langue en contexte.

La langue et le type de texte proposés serviront de base à l'apprenant pour réaliser la tâche finale.

3e double page : Formes et ressources

Les outils linguistiques

Cette double page va aider l'apprenant à structurer le lexique et la grammaire nécessaires à la réalisation de la tâche. Les principaux points sont résumés et illustrés par des exemples en contexte dans la bande en bas de page.

L'apprenant systématise les points de langue qu'il devra être capable de réutiliser dans d'autres situations.

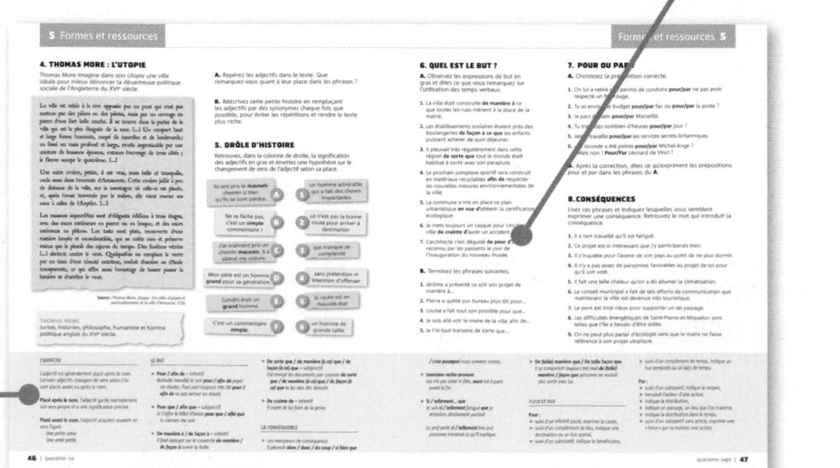

Tâche finale = véritable motivation de l'apprenant

4ᵉ double page : Tâche ciblée

Le projet final

Cette double page est l'aboutissement du travail réalisé tout au long de l'unité. La page de gauche est consacrée à la préparation de la tâche. L'apprenant y mobilise l'ensemble de ses compétences et de ses savoir-faire. La page de droite, quant à elle, est consacrée à la réalisation de la tâche en soi.

C'est cette tâche qui donne du sens à l'unité et permet à l'apprenant de prendre conscience de ses nouvelles compétences.

Dossier culturel :

12 pages de culture et de civilisation

Ce dossier culturel complète l'information de culture et de civilisation de l'ensemble des unités à travers des documents authentiques supplémentaires.

Cette section est aussi l'occasion d'inciter l'apprenant à développer ses compétences interculturelles en comparant la réalité de son pays avec celles du monde francophone. Ce dossier, indépendant, peut être traité de façon transversale.

Activités de réflexion sur la culture et la civilisation

PRÉCIS MÉTHODOLOGIQUE

5 C'EST MA VILLE !

Le précis de grammaire et le précis méthodologique :

33 pages de synthèse

Ces pages reprennent et développent les contenus grammaticaux des pages *Formes et Ressources* des unités et l'ensemble des productions écrites demandées à l'apprenant dans la *Tâche ciblée*.

Elles sont complétées par un *Tableau de conjugaison* et un *Index*.

Tableau des contenus

Unité	Tâche finale	Typologie textuelle	Communication et savoir-faire
Unité 1 **POINT À LA LIGNE**	**Nous allons évaluer nos connaissances sur l'orthographe de la langue française.**	- Paroles de chanson - Articles de presse - Billet de blog - Extrait littéraire - Une d'une revue	- Maîtriser l'orthographe - Reconnaître un point de vue - Lire un article de presse - Comprendre un extrait littéraire - Décrire un fait de société
Unité 2 **LES BONS PLANS**	**Nous allons rédiger un billet de blog pour faire part des bons plans de notre ville.**	- Test de personnalité - Une d'une revue - Articles de presse - Billet de blog - Site Internet - Interview	- Comprendre une interview complexe - Comprendre une critique - Donner un avis - Rédiger une critique
Unité 3 **J'EXPOSE DONC JE SUIS**	**Nous allons présenter un exposé sur un sujet social d'intérêt commun.**	- Conférence - Discours, exposé...	- Interpréter des images - Élaborer un plan - Organiser son opinion - Parler en public - Commenter l'actualité - Faire / Évaluer un exposé
Unité 4 **D'OÙ ÇA VIENT ?**	**Dans cette unité, nous allons organiser un concours sur l'origine des mots ou des expressions imagées.**	- Définition de dictionnaire - Extrait littéraire	- Définir des mots et des expressions - Émettre des hypothèses - Mettre en relief une information - Se situer dans le temps - Utiliser des expressions imagées
Unité 5 **C'EST MA VILLE !**	**À la fin de cette unité, nous allons présenter notre ville pour participer à un événement important. Un jury sélectionnera la meilleure proposition.**	- Article de presse - Extraits littéraires	- Comprendre et faire des descriptions complexes d'un lieu / d'un bâtiment - Exposer et justifier un point de vue - Argumenter - Attaquer et défendre des idées - Hiérarchiser des idées

Unité	Tâche finale	Typologie textuelle	Communication et savoir-faire
Unité 6 **CULTURE PUB**	**À la fin de cette unité, nous allons créer une publicité et la défendre devant un jury.**	- Questionnaire - Annonces publicitaires - Extrait littéraire - Articles de presse	- Exposer clairement des idées - Défendre des opinions / propositions - Évaluer une proposition - Caractériser un objet avec précision
Unité 7 **LE FRANÇAIS D'AUJOURD'HUI**	**À la fin de cette unité, nous allons écrire un slam sur un sujet de notre choix et le réciter devant un jury.**	- Paroles de chanson - Articles de presse - Règlement	- Identifier différents registres de langue - Observer des phénomènes de la langue parlée - Exprimer des émotions - Formuler des questions - Écrire en vers - Comprendre les règles d'un concours - Parler en public
Unité 8 **C'EST LA LUTTE FINALE !**	**Dans cette unité, nous allons préparer un communiqué de presse dans le cadre d'un conflit en entreprise.**	- Photos de presse - Articles de presse - Affiches - Extrait littéraire - Boite vocale - Courriel	- Prendre des notes - Comprendre et interpréter un extrait littéraire - Comprendre un document sonore complexe sur un sujet spécifique - Faire un discours
Unité 9 **UNE VIE À RACONTER**	**Nous allons écrire le récit de vie d'une personne de notre entourage ou d'un personnage célèbre.**	- Article de presse - Carte heuristique - Récit de vie - Biographie	- Raconter des évènements passés - Comprendre une interview complexe

DOSSIER CULTUREL :

1 POINT À LA LIGNE

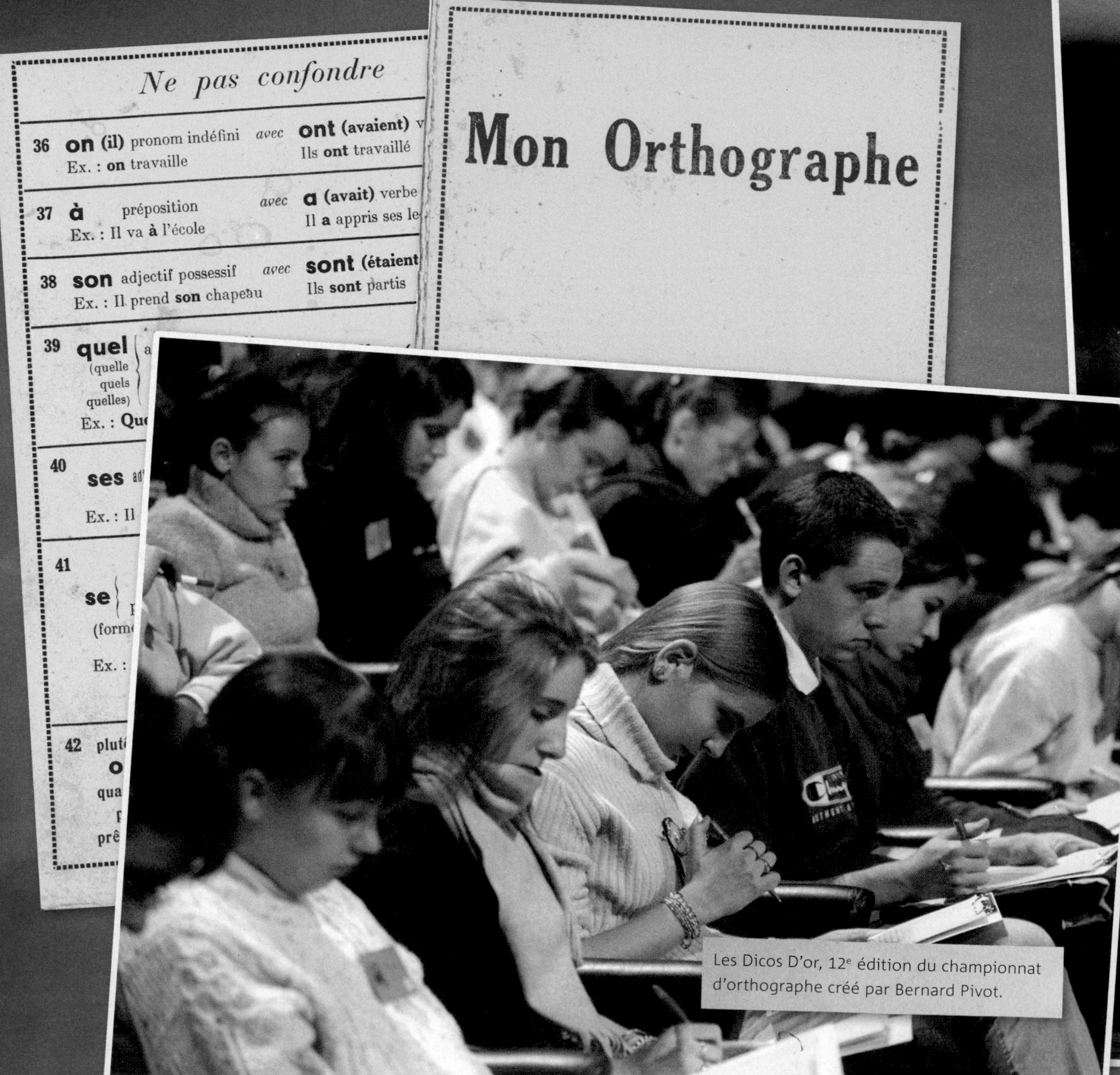

Ne pas confondre

36 **on** (il) pronom indéfini *avec* **ont** (avaient) v
Ex. : **on** travaille — Ils **ont** travaillé

37 **à** préposition *avec* **a** (avait) verbe
Ex. : Il va **à** l'école — Il **a** appris ses le

38 **son** adjectif possessif *avec* **sont** (étaient
Ex. : Il prend **son** chapeau — Ils **sont** partis

39 **quel** (quelle quels quelles) a
Ex. : Qu

40 **ses** ad
Ex. : Il

41 **se** (form
Ex. :

42 plut
o
qua
p
prê

Mon Orthographe

Les Dicos D'or, 12e édition du championnat d'orthographe créé par Bernard Pivot.

Nous allons évaluer nos connaissances sur l'orthographe de la langue française.

Serge Gainsbourg (1928-1991), musicien, chanteur, compositeur français.

L'Académie française, institution qui depuis 1634 régit la langue française.

1. EN RELISANT TA LETTRE

A. Voici une lettre d'amour. Lisez-la et retrouvez les erreurs de langue qu'elle contient. Corrigez-les.

C'est toi que j'aimme
Par-dessus tout
Ne me dis point
Que tu t'en fous
Je t'en supplic
Fais-moi confiance,
Je suis l'èsclave
Des apparences
C'est ridicule
C'était si bien,
Tout ça m'affecte
Au plus haut point
Si tu reunonces
À m'écouter,
Avec ta vi
J'en finirai
Pour me gardder
Tant de rancune,
Tu n'as pas de coeur
Il n'y a pas d'érreur
J'en mourrirai
Ne comprends-tu pas ?
Ça sera ta faute
Ça sera ta faute
Moi je te signale
Que gardénal
Ne prends pas de e
Mais n'en prend qu'un,
Cachet au moins
N'en prends pas deux
Ça te calmera
Et tu verras
Tout retombe à l'cau :
le cafard, les pleurs,
Les peines de coeur
O E dans l'O.

B. À présent, écoutez la chanson de Serge Gainsbourg et vérifiez, à partir de ses commentaires, vos corrections.

Piste 1

C. Quelle est la réaction du lecteur/chanteur ?

LA PAROLE EST À VOUS !

Piste 2

► Écoutez les opinions de la rue.
► À votre tour, réagissez.

2. LA FÉMINISATION EN QUESTION… POUR OU CONTRE ?

Alors qu'au Québec la question ne semble plus se poser, en France, le débat sur la féminisation de la langue refait régulièrement surface. Faut-il tout féminiser, notamment les noms de métiers ? Ou faut-il, au contraire, maintenir une forme neutre représentée par le masculin ?

A. AVANT LA LECTURE

1. Par petits groupes, discutez sur la place de la féminisation dans votre langue. Savez-vous si les autorités de votre pays s'efforcent de rendre la langue plus « féminine » ?

2. Observez le titre de cet article. À votre avis, quelle sera la position de ses auteurs ? Pourquoi ?

- *Selon moi, ils considèrent que…*

B. LE TEXTE À LA LOUPE

1. Quel type d'article *Le Figaro* a-t-il écrit sur Jacqueline de Romilly ?

- Un éditorial
- Un reportage
- Une chronique nécrologique
- Un billet d'humeur

2. À en croire les auteurs de cet article, Jacqueline de Romilly était une femme qui a marqué son époque comme l'indique l'expression ....

3. Relevez l'expression idiomatique qui indique que l'auteur de l'article du *Figaro* éprouverait des difficultés à traiter le sujet de la féminisation.

23 décembre 2010

Camarades du « Figaro », encore un effort pour la féminisation des noms de fonction

Retraçant le parcours de feu Jacqueline de Romilly, qui fut une figure de proue du féminisme en devenant la première femme à forcer les portes de nombreuses institutions jalousement gardées par les mâles, Le Figaro du 20 décembre ne sait plus à quel saint se vouer en matière de féminisation des noms de fonction : s'il la présente comme « ambassadrice » de la Grèce antique (alors qu'il aurait pu choisir plus classiquement ambassadeur), il la voit, en revanche, « auteur » (et non pas auteure ou autrice) de nombreux ouvrages, ce qui donne cette jolie phrase assez acrobatique : « Deuxième femme élue sous la Coupole, l'auteur de L'Enseignement en détresse se rattrapa en étant la première à y siéger effectivement, assidue aux séances de rentrée, aux élections et à la commission du dictionnaire. »

L'auteur, substantif masculin, se voit doté de deux épithètes au féminin (première et assidue), au mépris du purisme grammatical mais grâce à une belle syllepse de genre doublée d'une ellipse de femme (après première).

Nous ne savons pas ce que l'intéressée en aurait pensé, elle qui était plutôt conservatrice en matière grammaticale et orthographique, mais à cette occasion Le Figaro aurait pu franchir le pas et se mettre à la… auteure.

Source : *Langue sauce piquante, le blog des correcteurs du Monde.fr,* Martine Rousseau et Olivier Houdart

4. Retrouvez le nom ou l'expression qui indique que Jacqueline de Romilly a siégé à l'Académie française.

5. Quelle était la position de Jacqueline de Romilly par rapport à la féminisation de la langue ?

6. Retrouvez l'orthographe originale de l'expression qui marque la chute du texte : *Le Figaro aurait pu franchir le pas et se mettre à la… auteure.*

C. APRÈS LA LECTURE

Préparez les arguments pour défendre votre point de vue lors du débat qui opposera deux groupes : celui qui est pour la féminisation de la langue et celui qui est contre.

POUR ALLER PLUS LOIN
La presse francophone
Le débat sur l'orthographe sur
http://20.rond-point.emdl.fr/

3. ÉTERNEL DÉBAT : FAUT-IL RÉFORMER L'ORTHOGRAPHE ?

L'orthographe française est-elle intouchable ? Peut-on la réformer sans qu'il y ait polémique ? Molière se retournerait-il dans sa tombe en nous lisant ?

A. AVANT LA LECTURE

1. Par groupes, faites la liste des principales difficultés orthographiques que vous rencontrez quand vous écrivez en français. Donnez des exemples.

2. Après avoir lu le titre et le chapeau de cet article, dites quelle est la solution proposée pour maîtriser l'orthographe française.

B. LE TEXTE À LA LOUPE

1. Pour insister sur le fait que les règles d'orthographe actuelles ne remontent pas au Moyen Âge, Claude Gruaz utilise l'expression « loin s'en faut ». Dans ce contexte, quel serait son équivalent ?

- Au contraire
- Absolument pas
- Sans aucun doute

2. Relevez dans le texte quatre expressions idiomatiques et expliquez-les.

3. Expliquez pourquoi l'orthographe "chevaus" proposée par C. Gruaz ferait "hurler les foules".

Orthographe : « Et si on écrivait 'des chevaus' ? »

Les petits Français ne savent plus écrire correctement, dit-on. Qu'importe, simplifions les règles et devenons des as de l'orthographe.

Le linguiste Claude Gruaz n'est pas de ceux qui voudraient écrire comme on parle. Loin de là. Il aimerait juste comprendre au nom de quoi, en France, l'orthographe n'évolue pas au même titre que la langue. [...] Entretien avec un défenseur de la simplicité.

Pourquoi vouloir réformer l'orthographe ?

Car elle est aujourd'hui bien trop compliquée. C'est bien simple, on enseigne à l'école les règles et les exceptions comme des lois immuables et gravées dans le marbre. Il faut apprendre par coeur, c'est comme ça et pas autrement. [...]Or, si l'on prend le temps d'ouvrir le texte original des *Essais de Montaigne*, on s'aperçoit que « gain » s'écrit « gaing », autrui « autruy », commodités « commoditez » et plutôt « plustost » ! Je pense qu'il ne serait pas inutile de montrer aux lycéens comment les mots s'écrivaient dans le texte.

Quel intérêt, puisqu'on ne les écrit plus ainsi ?

Cela empêcherait tout simplement les gens de penser que l'orthographe française telle qu'on la pratique a des centaines d'années d'existence. Qui se pose aujourd'hui la question de savoir d'où vient l'orthographe ? [...] Les règles que l'on enseigne actuellement ne datent pas du Moyen Âge, loin s'en faut, mais de la loi Guizot de 1833. (...) La langue a le droit d'évoluer, c'est son essence même. Alors, pourquoi pas l'orthographe ? [...] nous sommes convaincus qu'en proposant des choses simples, [...] nous réussirons à débloquer ceux qui freinent des quatre fers à l'idée même de modifier une règle, aussi poussiéreuse et injustifiée soit-elle...

Vous avez un exemple précis en tête ?

Bien sûr. Les pluriels en oux, pour ne citer qu'eux... Les enfants apprennent bêtement et par cœur sur les bancs de l'école les sept exceptions à la règle du pluriel en s. « Hiboux, bijoux, choux, genoux... » Je vous épargne la liste complete. Du coup, la situation devient absurde. Combien d'élèves ne mettent plus un s au pluriel mais un x ? Je ne vois absolument pas pourquoi on ne généraliserait pas ce s. [...] C'est comme un cheval-des chevaux d'ailleurs. Quelle idée ! Au Moyen Âge, on disait bien « chevals »...

Mais vous vous rendez bien compte qu'écrire « des chevals » risque de faire hurler les foules aujourd'hui ?

Attention, je ne dis pas qu'il faut le rétablir sous cette forme. Nous partons du principe qu'il ne faut pas toucher à l'oral. Je prône donc « des chevaus ».

[...]

Mais derrière tout ça, votre combat n'est-il pas davantage une chasse aux fautes ?

Évidemment. Le but, c'est que les élèves fassent moins d'erreurs, voire plus du tout. Mais surtout qu'ils cessent de culpabiliser. [...] Je ne doute pas que le bon sens finira par l'emporter.

Source : *Le Point*, Victoria Gairin, le 26 janvier 2012

C. APRÈS LA LECTURE

Par groupes, reprenez la liste des difficultés que vous avez dressée en **A. 1.** et, en vous inspirant de la proposition de ce linguiste, proposez des solutions pour simplifier l'orthographe. Accompagnez votre document d'une introduction pour expliquer votre démarche.

POUR ALLER PLUS LOIN
Podcast à écouter en ligne sur
http://20.rond-point.emdl.fr/

4. GRAVES, AIGUS, CIRCONFLEXES... C'EST LA GUERRE DES ACCENTS !

A. Lisez l'extrait littéraire suivant et, par groupes, ajoutez les accents.

B. Écoutez le document sonore et vérifiez. Avez-vous ajouté ou supprimé des accents suite à l'écoute ?

Piste 3

C. Par petits groupes, à partir de vos observations, dites à quoi servent les accents en français.

D. Dans votre langue, écrit-on des accents ? À quoi servent-ils ?

- Nous, dans notre langue...

ERIK ORSENNA

Erik Orsenna a écrit une série de quatre ouvrages sur la langue française :

- *La grammaire est une chanson douce*, 2001.
- *Les chevaliers du subjonctif*, 2004.
- *La révolte des accents*, 2007.
- *Et si on dansait ?*, 2009.

« Depuis quelque temps, les accents grognaient. Ils se sentaient mal aimes, dedaignes, meprises. A l'ecole, les enfants ne les utilisaient presque plus. Les professeurs ne comptaient plus de fautes quand, dans les copies, ils etaient oublies. Chaque fois que j'en croisais un dans la rue, un aigu, un grave, un circonflexe, il me menaçait.

– Notre patience a des limites, grondait-il. Un jour, nous ferons la greve. Attention, notre nature n'est pas si douce qu'il y parait. Nous pouvons causer de grands desordres.

Je ne les prenais pas au serieux. Je me moquais :

– Une greve, allons donc ! Et qui ça derangerait, une greve des accents ? Je sentais bien monter leur colere. Je ne croyais pas qu'ils preparaient quelque chose.

J'en suis certain, quand j'y pense, c'est l'affaire des ordinateurs qui a tout declenche. Le fournisseur s'est trompe. Il a livre au college des ordinateurs de langue anglaise : aucun accent sur le clavier.

Nos amis se sont rues chez moi. J'ai eu le tort, le tres grand tort de me moquer d'eux. J'ai eu le tort, le tres grand tort de leur dire qu'il valait mieux des ordinateurs sans accents que pas d'ordinateur. Ils m'ont fait la leçon et puis ils m'ont insulte.

– Chaque langue a sa logique. Libre a l'anglaise et a l'americaine de vivre sans accents. Mais vous nous avez trahis. Dorenavant, c'est la guerre. »

25

Source : *La révolte des accents*, Erik Orsenna © Éditions Stock, 2007.

LA PONCTUATION

Les signes simples

- **Le point (.) :** il indique la fin d'une phrase.
- **La virgule (,) :** elle permet de séparer des mots, des groupes de mots ou des propositions coordonnées. Elle permet aussi de mettre en relief des éléments qu'on a placés en tête de phrase.
- **Les points de suspension (...) :** ils indiquent une interruption de phrase, un sous-entendu. Ils peuvent aussi remplacer *etc.* dans une énumération. Entre crochets, ils indiquent une coupure dans un texte ou une citation.

Les doubles signes

On laisse un espace entre le dernier mot de la phrase et le double signe de ponctuation. Cette règle ne s'applique pas en français pancanadien.

- **Le point d'interrogation (?) :** on le place à la fin d'une question directe.
- **Le point d'exclamation (!) :** on le place à la fin d'une phrase exclamative ou impérative. On l'emploie aussi après une interjection.
- **Le point-virgule (;) :** on l'emploie pour séparer des propositions qui ont un lien entre elles.

  On l'emploie aussi pour séparer des éléments d'une énumération introduite par deux points.
- **Les deux-points (:) :** ils permettent d'annoncer une citation, une sentence...

5. ACCORDS EN CHAÎNE

Piste 4

A. Écoutez les phrases suivantes. Distinguez-vous les singuliers et les pluriels ? Écrivez tous les accords nécessaires.

1. Ce..... garçon..... vend..... des journaux le..... samedi..... et le..... dimanche......
2. Me..... sœur..... ven..... tou..... le..... lundi......
3. Elle..... pass..... tou..... leurs vacances chez leur..... ami..... anglais......
4. Le..... professeur..... de mathématique..... nous donn..... toujours trop de devoirs.
5. Le..... passager..... refus..... d'embarquer parce qu'il..... dis..... avoir vu un individu suspect enregistr..... un bagage.
6. Elle..... connaiss..... très bien le..... petit..... sentier..... forestier..... qui mène..... au lac.
7. Il..... av..... toujours peur de se baign..... à cause d..... médus......

B. À l'oral, comment reconnaît-on les singuliers et les pluriels ?

C. À deux, préparez quatre phrases que vous dicterez ensuite à un autre groupe. Faites bien attention à votre prononciation : l'identification du nombre dépend souvent d'elle.

VOS STRATÉGIES

BIEN RECONNAÎTRE POUR MIEUX ÉCRIRE

En écoutant un texte, il est important de s'habituer à reconnaître certains phénomènes sonores qui nous aident à mieux orthographier les mots.

le [lə] / les [le]
il vend [ilvɑ̃] / ils vendent [ilvɑ̃d]
il avait [ilavɛ] / ils avaient [ilzavɛ]

6. DES VIRGULES ET DU SENS

A. Observez les phrases et expliquez-les.

Exemple :
Et si on mangeait les enfants ? → *La personne propose de manger les enfants.*
Et si on mangeait, les enfants ? → *La personne invite les enfants à manger.*

1. Éric, lui, demandait des explications.
Éric lui demandait des explications.

2. Les étudiants qui ont compris peuvent s'en aller.
Les étudiants, qui ont compris, peuvent s'en aller.

3. Le feras-tu honnêtement ?
Le feras-tu, honnêtement ?

4. Loïc est beau et riche...
Loïc est beau, et riche.

B. À votre tour, élaborez des phrases du même type et soumettez-les au reste de la classe.

► **Les guillemets (« ») :** on les utilise pour indiquer le début et la fin d'une citation dans un discours direct ou pour encadrer un mot ou une expression que l'on veut nuancer.

LES ACCENTS

► [e] peut s'écrire :
é comme dans ***été***,
e + r en syllabe finale (*boulanger*, *aller*),
e + s dans des mots d'une seule syllabe (*des*, *les*).

► [ɛ] peut s'écrire :
ê comme dans *fête*,
è comme dans *père*,
e + consonne prononcée en fin de syllabe (*ils mettent*).

L'accent aigu (´) : on le place seulement sur le **e** et il indique qu'il faut le prononcer [e].

L'accent grave (`) : on le place sur le **e**, le **a** et le **u**. Sur le **a** et le **u**, il sert à distinguer un mot d'un autre.

ou (conjonction)	***où*** (pronom)
*L'un **ou** l'autre ?*	***Où** vas-tu ?*

Sur le **e**, il modifie la prononciation : *levé* [ləve] mais *lève* [lɛv].

L'accent circonflexe (^) : on le place sur toutes les voyelles, sauf le **y**. Il sert parfois à éviter la confusion entre certains mots. Sur le **e**, il se prononce [ɛ].

Le tréma (¨) : on trouve le tréma sur les voyelles **e** et **i** pour indiquer que la voyelle qui les précède doit être prononcée séparément.

1 Tâche ciblée

LA GRANDE DICTÉE !

Préparation

LA GRILLE D'ÉVALUATION

A. Par groupes, vous allez définir les critères d'évaluation et élaborer une grille qui vous aidera à noter la dictée.

B. Faites la mise en commun des différents critères d'évaluation puis, au tableau, élaborez la grille commune à l'ensemble de la classe.

TYPE D'ERREURS	EXEMPLES	CORRECTION	POINT
Faute d'accentuation	miseres	misères	-0,5

VOS STRATÉGIES :

CRITÈRES DE CORRECTION

Les demi-fautes

L'omission ou l'ajout incorrect
- d'un accent aigu (´), grave (`) ou circonflexe (^)
- d'un tréma (¨)
- d'un trait d'union (-)
- d'une apostrophe (')
- d'une majuscule
- d'un signe de ponctuation.

Les fautes entières
- Toute autre erreur que les demi-fautes citées ci-dessus.

Comment compter les fautes
- Chaque demi-faute compte 1/2 point
- Compter 1 faute maximum par mot

La dictée des Timbrés de l'orthographe est devenue le rendez-vous incontournable des amoureux de la langue française.

Les objectifs de ces fous de l'orthographe et plus largement de la langue française sont de rappeler de façon ludique et didactique les règles, mais aussi les pièges et les difficultés de la langue française, de promouvoir et de défendre la langue française et de lutter contre l'illettrisme.

Pour atteindre ces objectifs, **les Timbrés de l'orthographe** mettent en place différentes actions dont un grand concours d'orthographe qui prend la forme d'un questionnaire et d'une dictée qui mettent en compétition quelques dizaines de milliers de Français.

Le succès d'un tel événement montre combien les Français sont soucieux de leur langue et aiment lancer des défis à leur propre langue pour l'écrire toujours mieux !

ERIC-EMMANUEL SCHMITT
Aimer les mots, c'est aimer la vie

CONCOURS 2011/2012
Corrigés et palmarès complet

Réalisation

À VOS PLUMES !

Piste 5 **A.** Attention, la dictée* commence ! N'écrivez rien, écoutez simplement le texte. C'est une lecture pour le sens.

Piste 6 **B.** Vous allez réécouter le texte. Cette fois-ci, toutes et tous à vos plumes !

Piste 7 **C.** Vous allez entendre une dernière fois le texte. Profitez-en pour le relire et, le cas échéant, le corriger.

D. Par groupes, mettez en commun vos textes pour en élaborer une version définitive qui sera corrigée par un autre groupe.

*Cette dictée a été écrite par Philippe Delerm à l'occasion du Concours des Timbrés de l'orthographe du samedi 18 juin 2011.

VOS STRATÉGIES

RÉUSSIR LA DICTÉE

La dictée est une activité qui doit vous aider à améliorer la qualité de votre production écrite. Son objectif n'est pas de faire un sans-faute mais d'attirer votre attention sur l'importance de l'orthographe.

Vous devez :

- mobiliser des procédures (mémoire : retenir et comprendre ce qu'on vous dicte. Le contexte peut vous aider),
- mobiliser des connaissances du système de la langue (ex. : les règles d'accord),
- construire des « routines » orthographiques (ex. : les mots en *-té* ne prennent généralement pas de *e* final),
- procéder à des analyses (ex. : accord du participe passé ou pas).

Réservez un temps de relecture : c'est le moment idéal pour l'analyse : Est-ce que j'ai bien mis un « s » à ce mot au pluriel ? J'accorde « marron » avec « chaussures » ou pas ?...

2 LES BONS PLANS

1. Si vous avez envie d'aller voir un film ou un spectacle…

- **a.** vous vous fiez à votre propre flair ou à vos propres informations pour choisir.
- **b.** vous allez voir ce qu'un ami a envie d'aller voir, sans trop savoir de quoi il s'agit.
- **c.** vous consultez les critiques d'un journal et vous leur faites confiance.

2. Quelle est, parmi les expressions suivantes, celle que vous utilisez le plus souvent ?

- **a.** Je crois / pense que… à mon avis / selon moi…
- **b.** Qu'est-ce que tu en penses ?
- **c.** Je ne sais pas… Bof !

3. Vous êtes réunis entre copains pour décider de votre lieu de vacances ; vous sentez que les avis sont loin d'être partagés.

- **a.** Vous vous dites que peu importe, que vous tiendrez bon et qu'ils aillent au diable !
- **b.** Vous êtes mal à l'aise, vous rentrez dans votre coquille et laissez faire.
- **c.** Vous participez à la discussion jusqu'à trouver une proposition qui satisfasse tout le monde.

4. Dans les soirées, on rencontre parfois des personnes qui ont un avis tranché sur tout. Qu'en pensez-vous ?

- **a.** C'est bien !
- **b.** Ça dépend de votre humeur.
- **c.** Vous ne le supportez pas !

RÉSULTATS DU TEST DE PERSONNALITÉ

Majorité de **a** : vous pensez tout seul et prenez vos décisions en toute autonomie. Peu importe si l'on n'est pas d'accord avec vous. Attention quand même : vous n'avez pas nécessairement la science infuse et l'opinion des autres, ou des experts, pourrait parfois éclairer votre lanterne.

Majorité de **b** : il vous est difficile d'arrêter vos opinions. C'est pourquoi vous vous fiez le plus souvent à celle d'autrui. C'est encore plus dur de vous opposer à l'avis des autres, si bien qu'il vous arrive de renoncer à vous affirmer. Faites-vous davantage confiance et demandez-vous qui vous êtes et ce que vous voulez.

Majorité de **c** : vous n'exprimez pas d'opinion personnelle sans vous être informé au préalable ; c'est bien, mais ne perdez pas de vue que votre opinion a au moins autant d'importance que celle des autres. Après tout, c'est vous qui allez devoir passer à l'action !

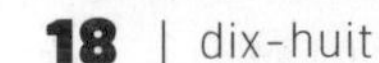

Nous allons rédiger un billet de blog pour faire part des bons plans de notre ville.

Hors-série Rentrée culturelle, Tribune de Lyon

1. VOS SORTIES

A. Observez les photos et répondez aux questions.

- Quel lien faites-vous entre la couverture du magazine *Tribune de Lyon* et les photos ?
- Quel type d'articles peut-on trouver dans ce magazine ?

- À mon avis, il s'agit...
- Eh bien moi, je crois...

Piste 8

B. Écoutez cette interview et répondez aux questions.

- En quoi cette exposition diffère-t-elle des expositions classiques ?
- Que peuvent échanger les visiteurs contre une œuvre ?
- Y a-t-il des trocs plus intéressants que d'autres ?
- Comment et quand l'artiste choisit-il son troc ?

2. AVEZ-VOUS DES OPINIONS BIEN ARRÊTÉES ?

A. Réalisez individuellement le test de personnalité ci-contre.

B. Maintenant, comptez le nombre de *a, b* et *c* cochés dans votre test. Lisez votre résultat. Êtes-vous d'accord ? Discutez-en à deux.

Piste 9

LA PAROLE EST À VOUS !
- Écoutez les opinions de la rue.
- À votre tour, réagissez.

3. LA CONSOM'ACTION

A. AVANT LA LECTURE

1. Par deux, définissez les termes suivants.

ventes privées | achats groupés | vente directe | e-commerce | développement durable | trocs de biens

2. En tant que consommateur, que recherchez vous ? Le produit rare ? Les bonnes affaires ?

- *Dans mon cas, je recherche plutôt...*

SOCIÉTÉ

Les bons plans des nouveaux consommateurs

Troc, échanges de services ou location entre particuliers se développent en France. Plus que d'un « effet crise «, ces initiatives témoignent d'une volonté de vivre autrement.

Les médias parlent de système D, de bons plans face à la crise... Une vision des plateformes de partage qui a le don d'agacer Antonin Léonard, créateur du Blog de la consommation collaborative. «Ils passent complètement à côté, on est vraiment face à un phénomène d'une autre ampleur», assure-t-il. Covoiturage, location entre particuliers, échanges de services... les structures de consommation collaborative pullulent. Et pour le jeune homme, ces circuits alternatifs n'ont rien d'un épiphénomène : «Ça va prendre un peu de temps à se généraliser, mais ça deviendra normal.» D'ici à trois ans, évalue-t-il. Il faut admettre que les avantages économiques qu'offrent échanges de vêtements, logement gratuit à l'autre bout du monde ou achats groupés jouent beaucoup. Mais la consommation collaborative veut voir plus loin. « Ces formes de consommation mettent l'individu au centre. Ça permet de se reconnecter, d'échanger avec l'autre, qui est de moins en moins vu comme un simple fournisseur de biens ou de services, précise Antonin Léonard. Évidemment, beaucoup viennent pour l'aspect financier. Mais il faut distinguer la motivation qui fait que l'on essaie de celle qui fait que l'on reste. « On teste parce que c'est économique, on reste parce qu'on rejoint une communauté qui partage des valeurs». [...].

« Une voiture reste garée 90 % du temps »

La consommation collaborative n'est pas l'apanage des précaires et des militants, mais concerne pour l'instant surtout les jeunes générations. Si des initiatives locales existent, «c'est vraiment Internet qui permet à ce phénomène de prendre de telles proportions. C'est plus simple pour les jeunes, qui utilisent les réseaux sociaux depuis trois ou quatre ans», reconnaît Antonin Léonard. Des réseaux sur lesquels on partage articles, photos ou vidéos en continu. Or « du partage d'informations au partage de biens matériels, il n'y a qu'un pas », juge-t-il. D'autant que le rapport à l'objet évolue : on ne veut plus forcément tout posséder, mais avant tout pouvoir utiliser. « Une voiture reste garée 90 % du temps, une perceuse n'est utilisée que douze minutes dans une vie... C'est un non-sens écologique et économique», déplore Antonin Léonard. D'où le développement des sites de location entre particuliers, tels Zilok ou e-loue.

Il n'en reste pas moins que cette approche «réhumanisée» du commerce se fait au détriment des circuits existants. «Il y a un impact négatif potentiel sur la croissance. Si de gros constructeurs automobiles perdent la moitié de leur clientèle, il y a un risque pour l'emploi, reconnaît Antonin Léonard. Mais [les industriels] doivent mener une réflexion par rapport à ça. S'ils ne le font pas, ils risquent de voir le nombre de leurs clients diminuer encore plus qu'aujourd'hui. Les maisons de disques n'ont jamais vraiment réagi au téléchargement et Apple a raflé la mise.» Certains n'ont d'ailleurs pas attendu pour surfer sur la vague, tel Castorama, qui a créé Troc'heures, une communauté en ligne d'échange d'heures de bricolage. Si la consommation collaborative parvient petit à petit à influencer les circuits commerciaux classiques, le pari est gagné.

Source : *Vivo*, Elsa Maudet, 06/05/12

B. LE TEXTE À LA LOUPE

1. Expliquez les mots et expressions ci-dessous :
- covoiturage
- épiphénomène
- rafler la mise

2. Que veut dire la journaliste quand elle écrit que « la consommation collaborative n'est pas l'apanache des précaires et des militants » ?

3. Pourquoi Antonin Léonard parle-t-il de « non-sens écologique et économique » ?

C. APRÈS LA LECTURE

1. Présentez le pour et le contre de la consommation collaborative.

2. Existe-t-il un phénomène semblable dans votre pays ? Quel est votre avis sur ce phénomène ? Par groupes, discutez-en.

3. Mettez en commun les différents avis sur la question.

4. À LA RECHERCHE DU BON PLAN

A. AVANT LA LECTURE

1. Lorsque vous avez besoin d'informations ou de renseignements pour organiser vos sorties, que faites-vous ?

- *Alors d'habitude, ce que je fais, c'est...*

2. Lisez le titre de ce billet de blog. Selon vous, qu'est-ce qu'un « bon plan » ?

www.argentdubeurre.com

UBUDU : MOTEUR DE RECHERCHES DE BONS PLANS

Quand on est de sortie ou quand on prévoit de sortir, on a souvent le réflexe d'aller effectuer quelques recherches sur Internet afin de trouver de **bonnes adresses**, d'éventuelles **promos** ou autres **bons plans**.

Partant de ce constat, des Français ont eu l'idée ingénieuse de lancer ce qu'ils qualifient de « premier moteur de recherches universel de bons plans ». Un concept simple, mais efficace, qui vaut le coup qu'on s'attarde dessus !

Ubudu, « votre accélérant bons plans », propose donc un moteur de recherches, similaire à celui de Google, mais uniquement focalisé sur les bons plans que vous pouvez trouver autour de vous, dans les enseignes physiques. Cela concerne aussi bien les restaurants, la beauté et le bien être, le sport, le shopping, que les hôtels et les voyages.

Le concept est simple et efficace : vous entrez un ou plusieurs termes liés à votre recherche, ainsi qu'une **localisation géographique** (vous pouvez aussi demander à être directement géolocalisé).

Le site vous affiche ensuite les **bons plans** qu'il a trouvés en fonction de ces critères. Le site promet de référencer les bonnes adresses, les promos, les réductions, les soldes, les offres de fidélité, les achats groupés... A ce propos, Ubudu propose notamment, en ce moment, une section spéciale soldes d'hiver.

À l'heure actuelle, Ubudu revendique près de **13 000 offres actives** chez près de 10 100 commerçants. Des chiffres qui seront amenés à grossir, notamment grâce à la participation des internautes (ajouts de bons plans, d'adresses, de promo, ou bien encore d'avis).

Cerise sur le gâteau, le moteur de recherches propose d'ores et déjà sa propre application pour téléphone mobile **iPhone**, accessible gratuitement en téléchargement via un lien sur le site. Si vous testez Ubudu, ou son application mobile, n'hésitez pas à partager avec les autres lecteurs ADB votre retour sur expérience !

Source : http://www.argentdubeurre.com, Vincent Ramarques, 18/01/2012

B. LE TEXTE À LA LOUPE

1. Retrouvez dans le texte, une expression pour dire :

- que le site mérite qu'on s'intéresse à lui.
- que l'application pour smartphone est une merveille.

2. Relevez dans le texte les verbes et expressions associés au monde d'Internet.

C. APRÈS LA LECTURE

1. Présentez les avantages de ce site par rapport à un moteur de recherches classique.

2. Par groupes, élaborez un questionnaire pour mieux connaître la façon de préparer une sortie.

5. DU BLOGABULAIRE !

A. À chaque mot sa définition. Faites correspondre les mots de vocabulaire ci-dessous avec leur définition.

B. Repérez les participes présents et les adjectifs verbaux des définitions. Comment se forment-ils ?

C. Sur ce modèle, proposez d'autres mots liés à Internet et leurs définitions.

6. SI TU VEUX MON AVIS...

A. Dans les séries suivantes, marquez d'un **N** les phrases neutres et d'un **A** celles qui expriment une appréciation.

Cette gourmandise était
- ☐ exquise.
- ☐ servie dans un joli emballage.
- ☐ flambée au cognac.

Cette pièce de théâtre est
- ☐ jouée par Fabrice Luchini et Arielle Dombasle.
- ☐ drôle à souhait !
- ☐ à mon goût, longue et très ennuyante.

Le bistrot « Le Pinasse café » au Cap Ferret
- ☐ peut servir jusqu'à vingt-sept couverts.
- ☐ a une vue imprenable sur le bassin d'Arcachon et la dune du Pyla.
- ☐ est le meilleur bistrot de la presqu'île !

Le concert de Cœur de Pirate
- ☐ s'est joué au Rockhall à Luxembourg.
- ☐ était, pour moi, le concert le plus attendu de ce début d'année.
- ☐ est de retour sur scène, en 2013, pour le bonheur de tous.

La recette des macarons de Pierre Hermé est
- ☐ simple comme bonjour.
- ☐ divisée en onze étapes.
- ☐ bien meilleure que celle de Ladurée, selon mon mari.

B. Lisez le billet de Claire sur son blog consacré aux restaurants puis repérez les verbes et les expressions qui lui permettent de donner son avis.

> Je suis complètement d'accord avec toi. À mon avis, c'est une excellente adresse, une des meilleures dans le quartier si on aime la cuisine orientale ! Question décor, c'est époustouflant ! Et que dire des plats ! La pastilla du chef m'a exalté les papilles ! Un vrai régal ! Pour moi, c'était comme à la maison !

LES ANAPHORES

Pour éviter la répétition d'un nom d'une phrase à l'autre, on a souvent recours aux pronoms personnels ou démonstratifs qui prennent le genre et le nombre du nom qu'ils remplacent.

*Mon voisin a dû être hospitalisé car **il** (mon voisin) a eu un accident de voiture.*

*La police a remorqué sa voiture car **celle-ci** (sa voiture) ne pouvait plus rouler.*

Il(s) et **elle(s)** remplacent le sujet de la phrase précédente ; **celui-ci, ceux-ci, celle(s)-ci** remplacent le dernier mot de la phrase précédente.

*Le producteur d'*Intouchables *a monté les marches du Festival de Cannes en compagnie d'Omar Sy. **Il** était radieux (= le producteur) / **Celui-ci** était radieux. (= Omar Sy).*

LES PRONOMS DÉMONSTRATIFS

Celui, celle, ceux, celles ne s'emploient jamais seuls puisqu'ils sont toujours déterminés par...

- une relative : ***celui qui*** *est sur la table /* ***celui que*** *tu m'as offert /* ***celui sur lequel*** *tu t'appuies.*
- un complément : ***celui de*** *droite /* ***celle de*** *ma mère /* ***ceux*** *en bois...*
- **-ci / -là :** ***celui-ci, celui-là, celle-ci, celle-là, ceux-ci...***

● *Donne-moi le livre, s'il te plaît.*
○ *Quel livre ?*
● ***Celui qui*** *est sur mon bureau.*
Celui *du prof.*
Celui-là*, là-bas.*

7. ON EN REDEMANDE, OU PAS...

A. Classez dans le tableau les termes suivants selon qu'ils se réfèrent à un avis positif ou à un avis négatif.

enchanteur | mauvais | splendide | appétissant | fade | délicieux | raffiné | navrant | désastreux | savoureux | dégoûtant | délectable | délicat | exquis | excellent | bon | pas mauvais | médiocre | éblouissant | infecte

AVIS POSITIF	AVIS NÉGATIF

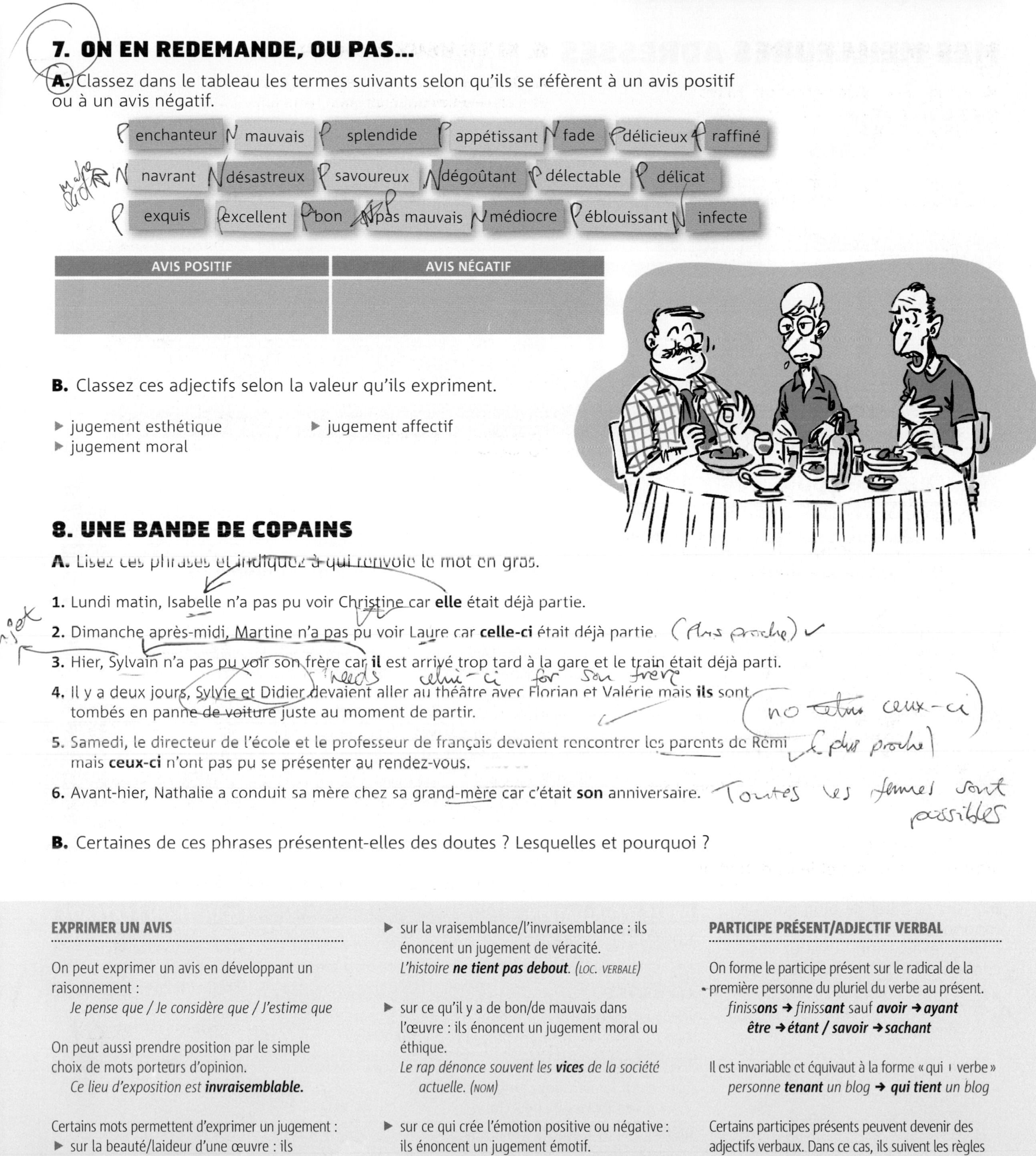

B. Classez ces adjectifs selon la valeur qu'ils expriment.

- jugement esthétique
- jugement moral
- jugement affectif

8. UNE BANDE DE COPAINS

A. Lisez ces phrases et indiquez à qui renvoie le mot en gras.

1. Lundi matin, Isabelle n'a pas pu voir Christine car **elle** était déjà partie.
2. Dimanche après-midi, Martine n'a pas pu voir Laure car **celle-ci** était déjà partie.
3. Hier, Sylvain n'a pas pu voir son frère car **il** est arrivé trop tard à la gare et le train était déjà parti.
4. Il y a deux jours, Sylvie et Didier devaient aller au théâtre avec Florian et Valérie mais **ils** sont tombés en panne de voiture juste au moment de partir.
5. Samedi, le directeur de l'école et le professeur de français devaient rencontrer les parents de Rémi mais **ceux-ci** n'ont pas pu se présenter au rendez-vous.
6. Avant-hier, Nathalie a conduit sa mère chez sa grand-mère car c'était **son** anniversaire.

B. Certaines de ces phrases présentent-elles des doutes ? Lesquelles et pourquoi ?

EXPRIMER UN AVIS

On peut exprimer un avis en développant un raisonnement :

Je pense que / Je considère que / J'estime que

On peut aussi prendre position par le simple choix de mots porteurs d'opinion.

Ce lieu d'exposition est ***invraisemblable.***

Certains mots permettent d'exprimer un jugement :

- sur la beauté/laideur d'une œuvre : ils énoncent un jugement esthétique.
  Le décor était ***éblouissant***. (ADJECTIF)
- sur la vraisemblance/l'invraisemblance : ils énoncent un jugement de véracité.
  L'histoire ***ne tient pas debout***. (LOC. VERBALE)
- sur ce qu'il y a de bon/de mauvais dans l'œuvre : ils énoncent un jugement moral ou éthique.
  Le rap dénonce souvent les ***vices*** *de la société actuelle.* (NOM)
- sur ce qui crée l'émotion positive ou négative : ils énoncent un jugement émotif.
  Le film Polisse ***a bouleversé*** *des salles entières.* (VERBE)

PARTICIPE PRÉSENT/ADJECTIF VERBAL

On forme le participe présent sur le radical de la première personne du pluriel du verbe au présent.

*finiss**ons** → finiss**ant*** sauf ***avoir → ayant***
être → étant / savoir → sachant

Il est invariable et équivaut à la forme « qui + verbe »
personne ***tenant*** *un blog →* ***qui tient*** *un blog*

Certains participes présents peuvent devenir des adjectifs verbaux. Dans ce cas, ils suivent les règles d'accord de l'adjectif.

un livre ***amusant*** *→ une personne* ***amusante***

MES MEILLEURES ADRESSES

Préparation

LES BONS PLANS

A. Par groupes, discutez des expositions, restaurants, bonnes adresses, recettes que vous avez testés récemment et qui vous ont marqués (positivement ou négativement).

www.citycrunch.fr

citycrunch

Mes sorties à Lyon

Quelques bons plans à Lyon

Envie de connaître les bons plans de la vie culturelle lyonnaise ? Pas de problème, il y a mille et une façons de se cultiver à Lyon et cela pendant toute l'année ! L'effervescence lyonnaise est à portée de main ! Suivez-moi !

De nouveaux talents

Le Conservatoire national supérieur de la musique et de la danse à Lyon (CNSMD) propose une saison publique. Celle-ci est riche de près de 350 manifestations dont la plupart sont gratuites et valent vraiment le détour ! À travers ces différentes performances, vous découvrirez le talent des étudiants, des enseignants et d'autres artistes invités. Plus d'infos : www.cnsmd-lyon.fr/

Un petit creux ?

Rendez-vous à la Marquise, ambiance rétro assurée ! Ce joli salon de thé du vieux Lyon propose de succulentes pâtisseries et viennoiseries ! Aux beaux jours, vous pouvez déguster votre douceur dans la cour intérieure et vous laissez transporter par l'atmosphère bien particulière apportée par le cadre. Malgré l'affluence liée au quartier, le service est efficace et attentionné.

Adresse : 37 rue Saint Jean, 69005 Lyon - www.la-marquise.fr

Qui a dit « Cinéma » ?

L'association Festivals Connexion offre des places de cinéma pour faire découvrir la diversité des manifestations sur les huit départements de la région. Entre le Festival d'animation d'Annecy, le Film court de Villeurbanne, le court métrage de Grenoble, les États Généraux du documentaire de Lussas et beaucoup d'autres, la région Rhône-Alpes nous propose cette année des manifestations exceptionnelles.

www.festivals-connexion.com

Inspiré de http://lyon.citycrunch.fr/

B. Lisez ce billet de blog puis répondez aux questions de cette grille d'évaluation. Justifiez vos choix avec des extraits du texte.

GRILLE D'ÉVALUATION	OUI	NON	EXTRAITS
STRUCTURE GLOBALE			
Les différentes parties d'un billet sont-elles bien présentes ?			
COHÉRENCE			
L'avis général est-il clairement exprimé ? Expose-t-on les différents aspects du bon plan ?			
COHÉRENCE TEXTUELLE			
Tout est-il facilement compréhensible ? Y a-t-il des passages peu clairs ?			
CORRECTION LINGUISTIQUE			
L'emploi du vocabulaire est-il approprié ? L'orthographe est-elle correcte ? Les structures grammaticales sont-elles correctes ?			

Réalisation

À VOS CLAVIERS !

Selon vos affinités, formez des groupes dans la classe (les cinéphiles / les gourmets / les fêtards) et partagez vos bons plans. Choisissez un de ces bons plans et rédigez un billet pour en parler. Vous pouvez ainsi créer un blog avec l'ensemble des bons plans de votre ville !

VOS STRATÉGIES

ÉCRIRE UN BON BILLET

Vous pouvez faire des jeux de mots, ajouter une touche personnelle en racontant une anecdote. N'oubliez pas d'impliquer le lecteur en lui demandant de commenter votre billet.

Pensez à mettre la date, l'adresse du bon plan et à répondre aux commentaires des utilisateurs. Il est conseillé de mettre un titre accrocheur, d'expliquer et de décrire le lieu que l'on recommande. Il ne faut pas oublier de donner son avis ainsi que toutes les informations nécessaires.

3 J'EXPOSE DONC JE SUIS

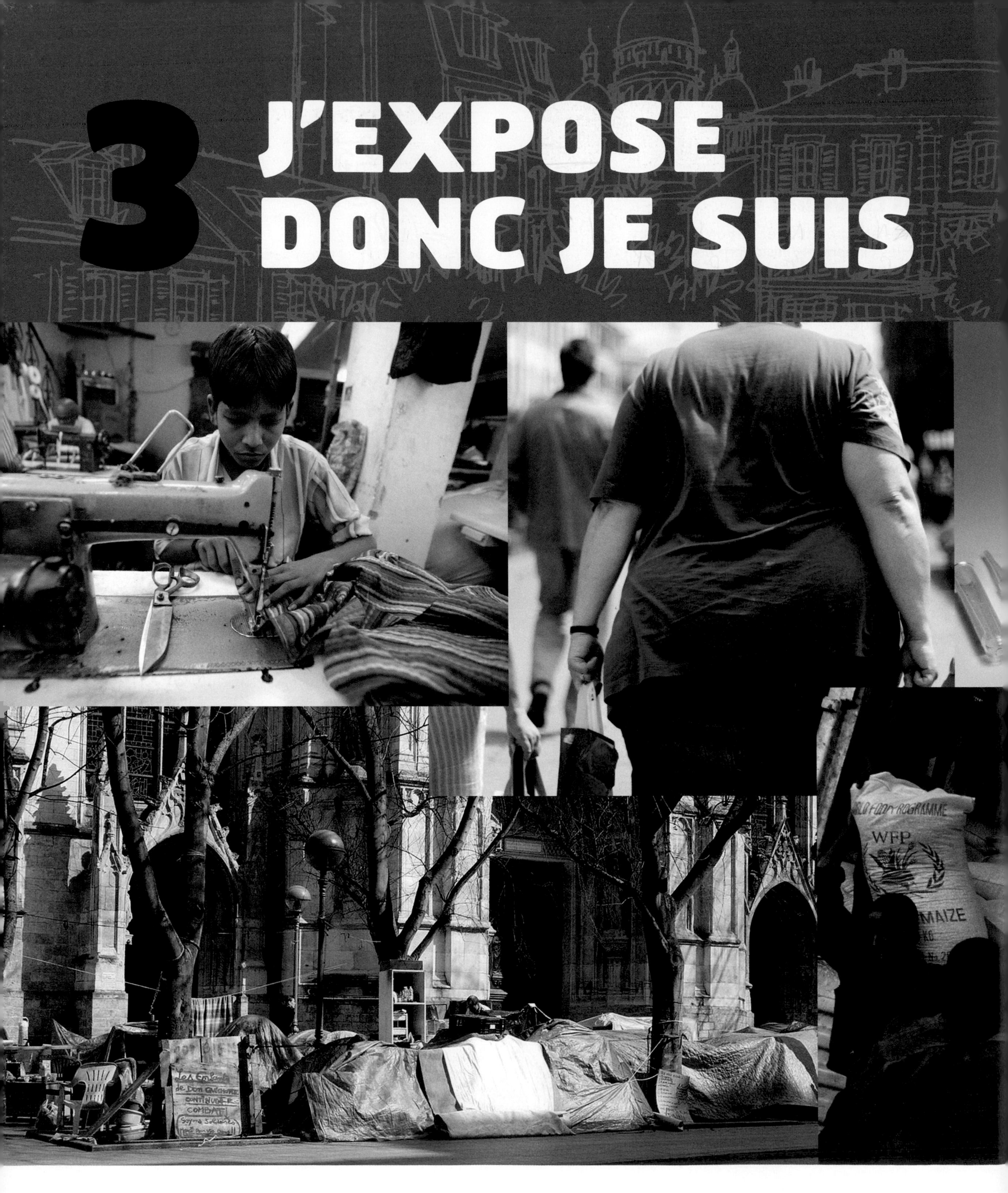

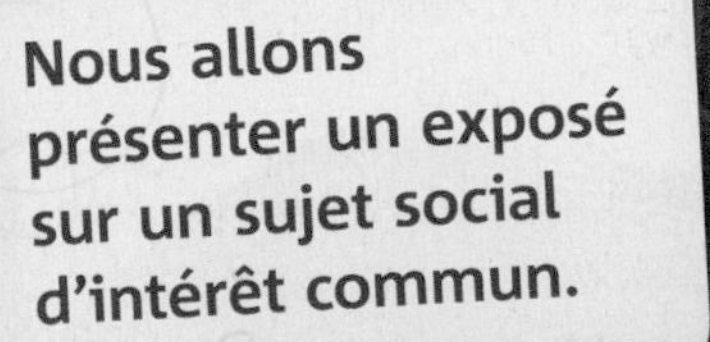

1. PRÉOCCUPATIONS SOCIALES

A. Observez ces photos. À votre avis, qu'évoquent-elles ? Parlez-en puis associez-les à un ou plusieurs de ces sujets.

- La guerre.
- La famine.
- Le réchauffement climatique.
- L'indignation populaire.
- Le travail des enfants.
- L'obésité.
- Les OGM (Organismes Génétiquement Modifiés).
- Les nouveaux pauvres.
- La précarité.
- La recherche et l'éthique.
- Les inégalités sociales.

- *Pour moi, c'est clair : la première photo fait référence à...*

B. Associez ces noms de personnes ou d'organismes aux concepts de la colonne de droite. Vous pouvez faire une recherche Internet.

C. Par groupes, choisissez l'un de ces sujets et faites une recherche pour ensuite le présenter à la classe.

LA PAROLE EST À VOUS !

Piste 10

- Écoutez les opinions de la rue.
- À votre tour, réagissez.

2. CONTRE LA DICTATURE DE LA PERFECTION

A. AVANT L'ÉCOUTE

1. Selon vous, quel sera le thème de cette conférence ?

2. Associez chaque verbe au nom ou au groupe nominal qui convient. Plusieurs réponses sont possibles.

*qqch : quelque chose
** qqn : quelqu'un

Mona Lisa à l'âge de 12 ans de Fernando Botero

CONFÉRENCE

Bonjour et merci de votre présence !

D'abord... Ensuite... Puis...
Le but de cet exposé est de démontrer...

Les canons de beauté de la société actuelle sont irréalistes et se basent sur un mensonge

En premier lieu,

En deuxième lieu,

Enfin,

B. L'AUDIO À LA LOUPE

Piste 11

1. Écoutez et prenez des notes. Pour vous aider, consultez le *Précis méthodologique*.

2. Observez le plan que l'intervenant a préparé : il a prévu de façon schématique les phrases de son exposé. Complétez ce document et comparez votre fiche avec celle d'un autre élève de la classe.

3. Écoutez puis répondez à ces questions à partir de vos notes.

- Qu'ont révélé les fouilles préhistoriques ?
- Quel est le risque pour le membre de la tribu des Karas s'il ne prend pas soin de son corps ?
- Selon le conférencier, les canons de beauté actuels s'appuient sur un mensonge. Lequel ?
- À qui profiterait la dictature du corps ? Et quelles seraient les conséquences de cette dictature ?

C. APRÈS L'ÉCOUTE

Quel est votre avis sur le sujet de cette conférence ? Cherchez des exemples qui renforcent ou contredisent l'avis du conférencier.

VOS STRATÉGIES

PENSER À L'ORAL

Quand vous préparez, par écrit, un exposé pensez déjà à la façon dont vous le présenterez à l'oral et simplifiez-en la forme. Un texte destiné à être dit ne se présente pas de la même façon qu'un texte destiné à être lu.

3. ÉCRIRE SELON UN PLAN

Quand on prépare un exposé, un discours, une conférence... il faut de l'organisation ! C'est pour cela qu'on doit préparer le plan de son discours. Il éclaire le public sur le thème traité et en annonce le développement. Le discours est donc préparé selon un plan ordonné.

A. Il existe différents modèles de plans. Faites des recherches afin d'associer chaque plan à sa définition.

VOS STRATÉGIES

RÉDIGER UN DISCOURS
C'est parce qu'un discours est structuré et cohérent qu'il est compréhensible. Et il est d'autant plus facile à retenir qu'il est imagé et rythmé. Rédiger un discours, c'est tracer un itinéraire, étape par étape de ce que l'on va dire.

B. À votre avis, à quel plan correspond la conférence de l'activité 2 ?

POUR ALLER PLUS LOIN
- Comment rédiger un texte de conférence ?
- Les secrets d'une bonne conférence.

4. C'EST DE TA FAUTE !

Complétez les phrases suivantes avec ces expressions : *grâce à (x2), en raison de (x2), à cause de, car, puisque, c'est de ta faute, étant donné, parce que*.

1. .... une mauvaise répartition des richesses, il y a chaque jour de plus en plus de pauvres.
2. Les membres de l'association ont décidé de manifester .... ils exigent un meilleur contrôle des OGM.
3. .... le manque de transparence dans les finances publiques, cette histoire ne m'étonne pas !
4. Les vaccins ne sont pas arrivés en Afrique .... un accident d'avion.
5. Les cas d'obésité ont légèrement baissé .... l'arrivée d'un nouveau médicament sur le marché.
6. .... si la Planète va mal, il faut que tu apprennes à recycler quotidiennement !
7. .... l'initiative des Enfants de Don Quichotte, la pauvreté de nos grandes villes a été rendue visible.
8. Je lutte aujourd'hui .... demain ça ne sera peut-être plus possible.
9. .... d'un mouvement social, la circulation est interrompue sur l'ensemble de la ligne.
10. .... je suis fatigué, je dors.

5. OR, C'EST PRATIQUE !

A. Lisez ces trois textes. Tous contiennent la conjonction *or*. Par groupes, dites ce qu'exprime ce petit mot dans chaque texte ; proposez, le cas échéant, un équivalent en français.

> Quand la tour Eiffel était en construction, nombreux étaient ceux qui prédisaient qu'elle s'écroulerait. **Or**, elle est toujours debout, même si elle a besoin d'un entretien régulier.

> Ces traitements sont toujours garantis sans risque par les professionnels de la santé. **Or**, qui ne connaît pas le cas de Terry Schiavo, cette jeune femme tombée dans le coma à cause d'un régime amaigrissant ?

> Tu vois, tu pleurais parce que tu croyais que tu ne réussirais pas l'examen. **Or**, tu as obtenu la meilleure note !

B. Proposez une traduction de ces phrases dans votre langue ou une langue que vous maîtrisez. Comment avez-vous traduit la conjonction *or* ?

LA CAUSE

- **Parce que** introduit une cause.
  *Je mange **parce que** j'ai faim.*
- **Car** exprime une cause supposée inconnue.
  *Je mange maintenant **car** après je n'aurai pas le temps.*
- **Comme** et **puisque** expriment une cause considérée comme évidente.
  ***Comme / Puisque** j'ai faim, je mange.*
- **À cause de +** NOM exprime une cause considérée comme négative.
  *Nous sommes arrivés en retard **à cause des** embouteillages.*
- **Grâce à +** NOM
  Grâce à exprime une cause considérée comme positive.
  *Il a obtenu le poste **grâce à** ses relations.*
- **Pour +** INFINITIF PASSÉ **/ pour +** NOM
  *Jim a été expulsé de l'école **pour** (avoir eu un) mauvais comportement.*
- **En raison de** introduit une cause de manière officielle, publique.
  ***En raison de** fortes chutes de neige, l'accès à la nationale A sera fermé aujourd'hui.*
- **Étant donné** introduit une cause connue de tous.
  ***Étant donné** l'heure, il arrivera en retard.*
  ***Étant donné** qu'il est malade, il ne viendra pas dîner.*

6. RELATIONS LOGIQUES

A. À deux, après avoir observé ces illustrations, complétez le texte qui les accompagne en légende. Vous vous aiderez de connecteurs logiques (de cause, de restriction, de concession...).

D'abord, les deux personnages sont très différents .... ils ne peuvent pas danser ensemble. .... l'un d'eux essaie de se transformer, ... sans succès. .... l'autre suggère de mettre leurs efforts en commun .... se transformer mutuellement. Finalement, ils y arrivent et .... leur sens de l'entraide, ils peuvent danser ensemble.

B. Comparez vos réponses avec celles d'autres groupes et commentez-les.

C. Voici une nouvelle série d'illustrations. Toujours à l'aide de connecteurs logiques, proposez un texte que vous présenterez au reste de la classe.

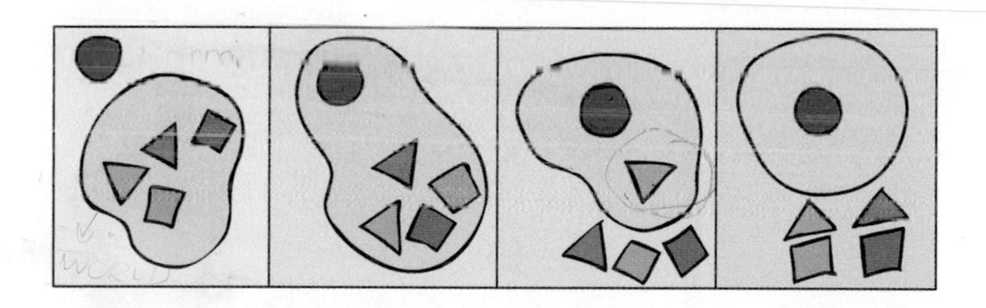

7. L'AUGMENTATION OU LA RÉDUCTION

Piste 12

A. Le Premier ministre tient une conférence de presse pour répondre aux questions des journalistes. Écoutez les questions. Quels sont les thèmes abordés ?

L'augmentation du...
L'abandon de...
La réduction de...
La disparition de...

B. Trouvez le nom (sans oublier l'article) ou le verbe correspondant.

VERBE	NOM
augmenter	*une augmentation*
abandonner	
	une réduction
	un vol
retarder	
louer	
offrir	
faire	
	une disparition
	une rupture
	une action
investir	
partir	
revenir	
lier	
payer	

L'OPPOSITION

▶ **Tandis que / Tandis**
Hormis le sujet, qui est différent, un élément de la phrase 1 s'oppose à un élément de la phrase 2.
*L'équipe des bleus travaille **tandis que** l'équipe des rouges dort.*

▶ **Alors que**
*Annie aime faire la fête avec ses amis **alors que** Martin préfère rester chez lui.*

***Alors que** Martin préfère rester chez lui, Annie aime faire la fête avec ses amis.*

▶ **Pendant que**
La relation d'opposition porte sur deux actions simultanées.
*Marité dort **pendant que** Gilles prépare le café.*
***Pendant que** Gilles prépare le café, Marité dort.*

LA RESTRICTION

▶ **Mais** est catégorique, **cependant** exprime la concession et **pourtant** le paradoxe.
*J'adore la musique **mais** / **cependant** / **pourtant** je déteste le jazz.*

▶ **Bien que** exprime une restriction et introduit un élément qui aurait pu empêcher l'élément de la proposition principale.
***Bien qu'**il ait vraiment beaucoup étudié, il n'a pas réussi l'examen.*

▶ **Or** exprime une restriction et met en relation deux propositions qui vont déboucher sur une conclusion logique.
*Tous les hommes sont mortels. **Or** les grecs sont des hommes, donc les Grecs sont mortels.*

MERCI DE VOTRE ATTENTION

Préparation

L'EXPOSÉ PARFAIT

Pour bien préparer un diaporama pour un exposé, vous devez prendre en compte les différences entre texte écrit et texte oral. Pour vous entraîner, placez correctement les étiquettes suivantes dans le tableau selon qu'elles appartiennent à l'écrit ou à l'oral.

- Phrases complexes
- Tous les temps de la conjugaison
- Formes active et passive, phrases affirmatives et négatives
- Redondances : répétitions, reprises, paraphrases...
- Mots-outils, connecteurs
- Phrases verbales et utilisation des verbes les plus fréquents
- Phrases simples, courtes
- Phrases juxtaposées, moins de connecteurs
- Nominalisations
- Pas de passé simple, moins de subjonctif
- Forme active, phrases surtout affirmatives
- Mots précis, substituts pour éviter les répétitions

VOS STRATÉGIES

RÉUSSIR SON EXPOSÉ

N'ayez pas peur de vous entraîner entre vous : enregistrez-vous, filmez-vous... C'est le meilleur moyen de détecter vos points faibles (phrases trop longues, mots difficiles à prononcer...) et d'essayer de les corriger. Entraînez-vous oralement !

N'oubliez pas qu'un exposé réussi ne consiste pas simplement à présenter des arguments mais aussi à savoir comment les communiquer, comment motiver l'intérêt de l'auditoire, même dans les cas où le sujet ne l'attirait pas.

ÉCRIT	ORAL

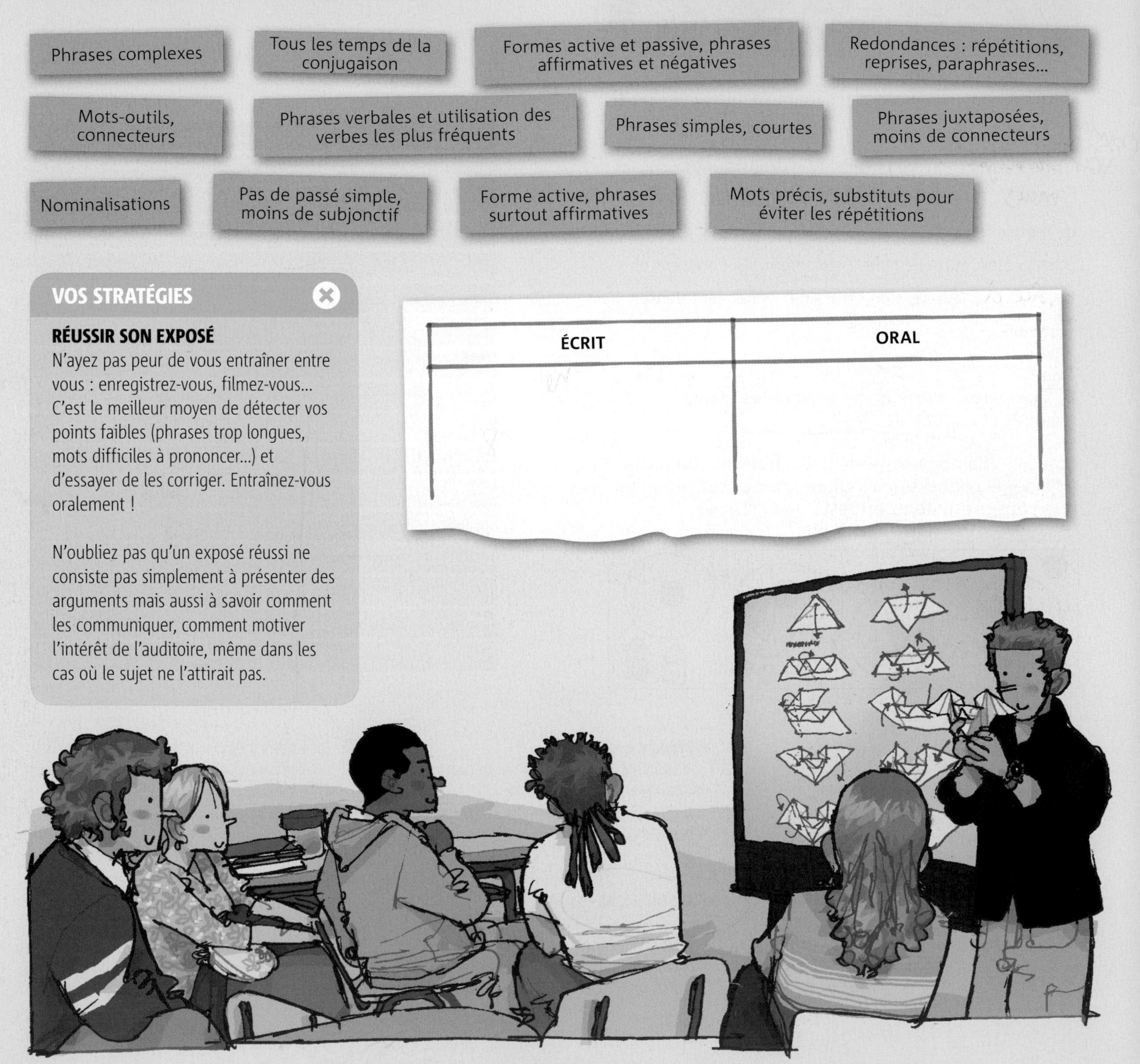

Réalisation

MESDAMES ET MESSIEURS...

A. Par groupes, vous allez préparer puis présenter un diaporama sur un sujet de société : vous disposez de 10 minutes pour la présentation. Au sein du groupe, chacun va présenter et défendre le sujet qu'il souhaite aborder. Ensuite, le groupe choisit un seul sujet.

B. Les membres du groupe rechercheront les documents destinés à illustrer/argumenter leur exposé.

C. Chaque groupe élaborera...

- un plan de son exposé.
- un texte structuré sur le sujet choisi.
- un diaporama selon les conseils qui vous sont donnés dans cette page.

D. Vous présenterez sous forme d'exposé le résultat de votre travail au reste de la classe. Pendant les présentations, les autres élèves de la classe prendront des notes et évalueront les présentations. Ils devront relever 3 points forts et 3 points faibles en s'aidant de la grille ci-dessous. Puis comparez.

SUJET DE L'EXPOSÉ :	NOTE
COMPÉTENCES LINGUISTIQUES	
Les phrases sont **bien construites.**	
Le vocabulaire **est précis et varié.**	
La prononciation **est claire.**	
Le/s locuteur/s **parle/ent avec aisance.**	
ORGANISATION DE L'EXPOSÉ-DÉVELOPPEMENT	
L'introduction **captive l'auditoire.**	
Le but de l'exposé **est clairement annoncé.**	
Les arguments **sont convaincants.**	
Les exemples sont bien choisis.	
ORGANISATION DE L'EXPOSÉ-CONCLUSION	
Le résumé **est une bonne synthèse de l'exposé.**	
La prise de position **est claire et cohérente avec les arguments développés.**	
SAVOIR-FAIRE	
Le/s locuteur/s a/ont su **maintenir l'attention du public et convaincre.**	
Le/s locuteur/s a/ont su **occuper l'espace.**	
Les supports utilisés **sont pertinents.**	

VOS STRATÉGIES

OUTILS À GLISSER DANS UNE CONFÉRENCE

Quand vous préparez un discours, une conférence, un exposé, vous devez rechercher des expressions idiomatiques appartenant au champ lexical du thème traité. Par exemple, si vous travaillez sur un sujet comme l'alimentation, cherchez des expressions ayant un rapport avec la table et glissez-les dans votre discours.

Quelques exemples :
Mettre son grain de sel
La moutarde me monte au nez
Ça ne mange pas de pain
Mettre les petits plats dans les grands
La cerise sur le gâteau

4 D'OÙ ÇA VIENT ?

BAGNOLE n.f. – vient des dialectes du Nord et du Nord-Ouest de la France *banne* (1268) et *benne* (1307) qui désignent une charrette pour transporter du fumier et du charbon. Vers 1840, ce terme a pris une valeur péjorative pour désigner « un véhicule simple, rudimentaire et peu confortable ».

CISEAUX n.m.pl. – est issu au XIIe siècle du latin *cisellum*, déformation de *cædere* qui veut dire « trancher, couper ». Ce mot apparaît d'abord au singulier et désigne un outil en acier à l'extrémité tranchante au moyen duquel on sculpte le bois, le fer, la pierre. Les ciseaux que nous connaissons aujourd'hui auraient été perfectionnés par des anneaux dès le Moyen Âge.

GOUJAT n.m. – mot né sous la forme de *goujeas*, emprunté au provençal *gojat*. C'est un dérivé de l'hébreu *gôyâ*, le féminin de goy, nom donné par les juifs aux chrétiens. Le goujat était un valet d'armée aux manières frustres. D'où le sens actuel.

GRÈVE n.f. – est issu du latin populaire *grava*, le « sable ». La place de Grève, à Paris, située devant l'actuel Hôtel de ville, se nommait ainsi parce qu'elle conduisait au sable des rives de la Seine. Au début du XIXe siècle, les ouvriers sans emploi y attendaient l'embauche. On disait alors qu'ils étaient « en grève ». Ce n'est que vers 1850 que le sens actuel est apparu.

Dans cette unité, nous allons organiser un concours sur l'origine des mots ou des expressions imagées.

AVATAR n.m. – emprunté au sanskrit, ce mot désignait dans la religion hindoue la descente sur terre d'êtres supraterrestres s'incarnant dans des formes variées. Il apparaît pour la première fois en français au XIXe siècle et exprime la transformation, la métamorphose d'une personne ou d'une chose. Aujourd'hui, largement répandu dans le monde d'Internet et du cinéma, il évoque aussi un type d'incarnation.

Sources : Définitions du *Dictionnaire historique de la langue française*, sous la direction d'Alain Rey, Éditions Le Robert.

1. EMPRUNTÉ AU PROVENÇAL

A. D'après les définitions ci-contre et vos connaissances, savez-vous ce que *bagnole, avatar, goujat, ciseaux* et *grève* signifient actuellement ? Lisez ces articles puis, par groupes réduits, émettez des hypothèses sur leur sens actuel.

- Qu'est-ce qu'une grève ?
- À mon avis, une grève c'est un lieu parce que dans ce texte on parle de Paris et...
- Ah, moi, je crois qu'une grève c'est une personne. Ici, on parle des ouvriers...

Piste 13

B. Une Française explique à un ami étranger les mots *bagnole* et *goujat*. Écoutez le document pour vérifier vos hypothèses. Ces mots s'utilisent-ils dans toutes les circonstances ?

2. L'HISTOIRE DES MOTS...

Piste 14

Un spécialiste de la langue française explique l'origine de certains mots et expressions de la langue française. Écoutez-le et complétez le tableau.

MOT	ÉPOQUE OÙ CE MOT EST APPARU	CIRCONSTANCES LIÉES À L'INTRODUCTION DE CE MOT	ORIGINE DU MOT	REGISTRE DE LANGUE
Poubelle				Français standard
Toubib	Au milieu du XIXe siècle			
Thé			Vient des dialectes chinois du Sud via le néerlandais	

Piste 15

LA PAROLE EST À VOUS !
- ▸ **Écoutez les opinions de la rue.**
- ▸ **À votre tour, réagissez.**

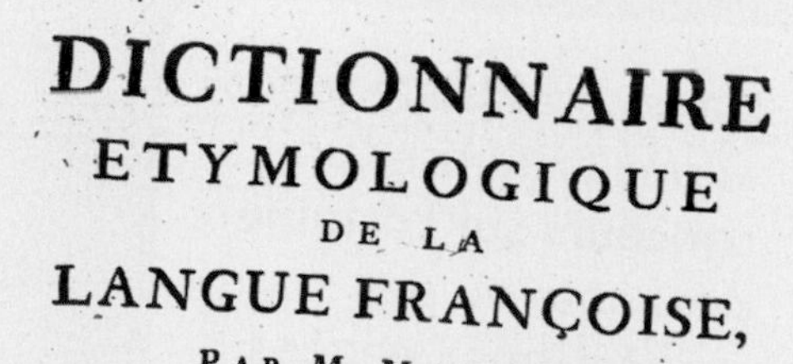

DICTIONNAIRE ETYMOLOGIQUE DE LA LANGUE FRANÇOISE,

PAR M. MÉNAGE,

Avec les Origines Françoises de M. DE CASENEUVE, les Additions du R. P. JACOB, & de M. SIMON DE VALHEBERT, le Discours du R. P. BESNIER sur la Science des Etymologies, & le Vocabulaire Hagiologique de M. l'Abbé CHASTELAIN.

NOUVELLE ÉDITION.

Dans laquelle, outre les Origines & les Additions ci-dessus, qu'on a insérées à leur place, on trouvera encore les Etymologies de Messieurs HUET, LE DUCHAT, DE VERGY, & plusieurs autres.

Le tout mis en ordre, corrigé, & augmenté, par A. F. JAULT, *Docteur en Médecine, & Professeur en Langue Syriaque au Collège Royal.*

Auquel on a ajouté le Dictionnaire des Termes du vieux François, ou Trésor des Recherches & Antiquités Gauloises & Françoises de BOREL, augmenté des mots qui y étoient oubliés, extraits des Dictionnaires de MONET & NICOT, & des Auteurs anciens de la Langue Françoise.

TOME PREMIER.

A PARIS,

Chez BRIASSON, rue Saint Jacques, à la Science & à l'Ange Gardien.

M. D C C. L.

3. QU'EST-CE QUE ÇA VEUT DIRE ?

Les mots ci-dessous sont tous très fréquents en français actuel. À deux, cherchez le sens de deux ou trois d'entre eux pour pouvoir les expliquer ensuite à toute la classe. Attention, ces mots appartiennent à la langue familière ou populaire et ne peuvent pas s'employer dans toutes les circonstances : vous n'oublierez donc pas de le préciser et de donner des exemples pour accompagner vos explications.

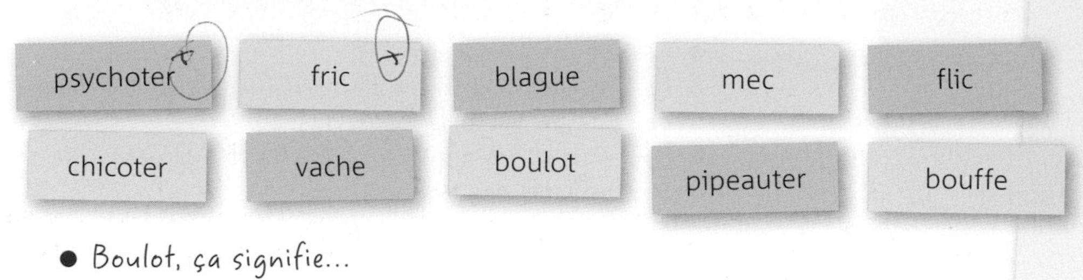

- *Boulot, ça signifie...*

VOS STRATÉGIES

DÉFINIR UN MOT

Si vous n'êtes pas sûr que l'information que vous allez donner est juste, vous pouvez avoir recours à des formules exprimant le doute ou au conditionnel qui permet d'exprimer un doute, une incertitude...
Je pense que... Ce mot viendrait du sanskrit mais je n'en suis pas sûr.

4. ÇA VIENT D'OÙ ?

Piste 16

A. Écoutez les hypothèses sur les expressions suivantes.

- Jeter un pavé dans la mare
- Avoir le vent en poupe
- La langue de bois
- La goutte d'eau qui fait déborder le vase

B. À votre tour de proposer l'origine de ces expressions. Connaissez-vous d'autres expressions imagées en français ? À votre avis, à quoi servent-elles ? Sont-elles fréquentes dans votre langue ?

C. Vous préparerez un petit compte rendu des réponses obtenues dans le groupe et vous n'oublierez pas de les illustrer à l'aide d'exemples.

POUR ALLER PLUS LOIN

- Les dictionnaires spécialisés
- Les dictionnaires de référence sur **http://20.rond-point.emdl.fr/**

5. EXPRESSIONS IMAGÉES

A. AVANT LA LECTURE

Observez ces groupes de mots. Comment les comprenez-vous ? Discutez-en.

Jeter un œil | Un rideau de cheveux | Une vie en pointillés | Un vide [...] à combler | Décoller du salon | Faire une croix dessus | Se lover

Paul Steiner, le narrateur, est un écrivain et scénariste à succès de 40 ans, mais un homme en pleine tourmente. Récemment séparé de sa femme Sarah, toujours amoureux d'elle, il vient de lui déposer leurs enfants, Manon et Clément, dans leur maison de Bretagne, comme après chaque week-end depuis six mois.

Je me suis garé sur le trottoir d'en face. J'ai jeté un œil dans le rétroviseur. Sur la banquette arrière, Manon rassemblait ses affaires, le visage caché derrière un long rideau de cheveux noirs. À ses côtés, Clément s'extirpait lentement du sommeil. Six mois n'avaient pas suffi à m'habituer à ça. Cette vie en pointillés. Ces week-ends volés une semaine sur deux. Ces dimanches soir. Ces douze jours à attendre avant de les revoir. Douze jours d'un vide que le téléphone et les messages électroniques ne parvenaient pas à combler. Comment était-ce seulement possible ? Comment avions-nous pu en arriver là ? J'ai tendu ma main vers ma fille et elle l'a serrée avant d'y poser un baiser.

- Ça va aller, papa ?

J'ai haussé les épaules, esquissé un de ces sourires qui ne trompait personne. Elle est sortie de la voiture, suivie de son frère. J'ai attrapé leurs sacs à dos dans le coffre et je les ai suivis. De l'autre côté de la rue, la maison de Sarah n'était plus la mienne. Pourtant rien ou presque n'y avait changé. Je n'avais emporté que mes vêtements, mon ordinateur et quelques livres. Chaque dimanche, quand je ramenais les enfants, il me semblait absurde de repartir, je ne comprenais pas que ma vie puisse ne plus s'y dérouler. J'avais le sentiment d'avoir été expulsé de moi-même. Depuis six mois je n'étais plus qu'un fantôme, une écorce molle, une enveloppe vide. Et quelque chose s'acharnait à me dire qu'une part de moi continuait à vivre normalement dans cette maison, sans que j'en sache rien. [...]

Sarah se tenait dans l'encadrement de la porte, souriante, un verre de vin à la main. Au moment de l'embrasser, j'ai dû me retenir de poser mes lèvres sur sa bouche [...]

- Tout, Paul. Tout a changé, avait-elle coutume de répondre quand après quelques verres de vin je ne parvenais plus à décoller du salon et cherchais ses lèvres.

Nous avons échangé deux bises ridicules, de celles qu'on réserve aux connaissances vagues, aux collègues.

- T'as l'air en forme, ai-je tenté, et j'étais parfaitement sincère. [...]

- Pas toi, a dit Sarah, avec dans les yeux cette légèreté nouvelle.

Elle m'a précédé dans le salon et nous nous sommes assis. Elle m'a proposé un whisky. Ça ressemblait à une provocation : elle savait parfaitement que j'avais fait une croix dessus depuis pas mal de temps, que je m'en tenais au vin désormais, et dans des quantités que je jugeais raisonnables. Manon est montée dans sa chambre et Clément s'est lové contre moi. Il tenait une bande dessinée, qu'il feuilletait distraitement. J'ai embrassé ses cheveux. Rien ne me manquait comme son odeur et mes doigts jouant sur sa nuque. Sarah m'a demandé combien de temps je comptais rester là-bas. Je n'en savais rien, tout dépendait de ce que j'allais y trouver. [...]

Source : Extrait *Des lisières* d'Olivier Adam, © Flammarion 2012

B. LE TEXTE À LA LOUPE

1. À votre avis, à quel genre littéraire appartient ce texte ? Pourquoi ?

2. Lisez à présent cet extrait. Repérez les groupes de mots à propos desquels vous avez discuté. Les comprenez-vous mieux ? Pourquoi ?

3. Comment interprétez-vous l'expression « une vie en pointillés » dans son contexte ?

C. APRÈS LA LECTURE

Par groupes réduits, mettez en commun ce que vous avez compris de l'histoire et présentez-la dans un court texte (80-100 mots) : qui sont les personnages ? Que font-ils ? Pourquoi ?

OLIVIER ADAM

Olivier Adam est un écrivain français contemporain qui connaît un succès indéniable. Il est également scénariste et a participé à l'écriture du film *Welcome*.

VOS STRATÉGIES

COLLOCATION/EXPRESSION IMAGÉE

Quand vous lisez un texte, il est important d'observer les mots dans leur contexte. Ils sont souvent dans un groupe qui leur donne du sens, c'est ce qu'on appelle une collocation. Parfois, ils forment une expression qu'il faut identifier comme telle et qu'on ne peut pas modifier, c'est une expression imagée ou idiomatique.

6. ÉTYMOLOGIE : БИСТРО

A. À votre avis, que signifie le mot russe « bystro » ?

On a longtemps cru que le mot avait été apporté par les troupes de Cosaques qui ont occupé Paris en 1814. En entrant dans les cafés, ils auraient demandé qu'on les serve rapidement en utilisant le terme russe de « bystro ». On a ensuite pensé au mot poitevin « bistraud », l'aide du marchand de vin. On penche aujourd'hui pour le mot du patois du Nord « bistouille » qui signifie « mauvais alcool » ou « café arrosé d'eau-de-vie ». Mais rien n'est sûr...

B. Parmi les origines possibles, laquelle vous semble la plus plausible ?

C. Par groupes, dites à quoi renvoie *on* dans les phrases suivantes ?

1. *On* a longtemps cru que le mot avait été apporté par les troupes de Cosaques qui ont occupé Paris en 1814.

- tout le monde
- les linguistes
- les Français
- autre réponse (préciser)

2. En entrant dans les cafés, ils auraient demandé qu'*on* les serve rapidement en utilisant le terme russe de « bystro ».

- le cafetier
- quelqu'un
- les serveurs
- autre réponse (préciser)

3. *On* penche aujourd'hui pour le mot du patois du Nord « bistouille » qui signifie « mauvais alcool » ou « café arrosé d'eau-de-vie ».

- l'auteur du dictionnaire
- les spécialistes de l'étymologie
- les gens instruits
- autre réponse (préciser)

D. À votre avis, pourquoi l'auteur a-t-il employé *on* plutôt qu'un nom plus précis ?

7. COLLOCATION

A. Observez ces « mauvaises » associations de mots et modifiez-les pour qu'elles « fonctionnent ».

- Les bras de chevet
- Le livre d'honneur
- Le vin indépendant
- Un travailleur qui sommeille en nous
- L'enfant ballants

B. Trouvez d'autres collocations avec les mots soulignés.

C. À présent, suggérez des collocations pour les mots suivants.

- âge
- tête
- café

VOS STRATÉGIES

MÉMORISER DU VOCABULAIRE

Quand on mémorise du vocabulaire, il est important d'avoir en tête le contexte dans lequel on a vu le mot ou l'expression mais aussi à quels autres mots (verbes, locutions...) il est associé.

8. LA MISE EN RELIEF

Mettez en relief les phrases suivantes en utilisant *ce... que ou ce...qui.*

J'ai écrit un beau texte → C'est moi qui ait écrit un beau texte.

1. Les accords posent problème aux élèves.
2. Tu dois évaluer sa définition, pas autre chose.
3. Il adore la langue française par dessus tout.
4. Il est question d'anglicismes dans ce livre.
5. Dans sa conférence, le lexicologue parle d'étymologie.
6. Je suis fier de sa réussite professionnelle.

LE CONDITIONNEL PRÉSENT ET PASSÉ

Pour former **le conditionnel présent**, on emprunte la base du futur simple et on ajoute les terminaisons de l'imparfait.

*L'expression « tomber dans les pommes » **viendrait** d'« être dans les pommes cuites » qui signifiait être malade...*

Le conditionnel passé est formé de l'auxiliaire **avoir** ou **être** au conditionnel présent suivi du participe passé du verbe.

Le conditionnel passé

	TROUVER		ALLER	
j/je	**aurais**	trouvé	**serais**	allé(e)
tu	**aurais**		**serais**	allé(e)
il/elle	**aurait**		**serait**	allé(e)
nous	**aurions**		**serions**	allé(e)s
vous	**auriez**		**seriez**	allé(e)s
ils/elles	**auraient**		**seraient**	allé(e)s

*Les linguistes **auraient trouvé** l'origine du mot...*

ON

On s'utilise si le locuteur veut exprimer une généralité ou ne pas préciser l'origine de ses sources.

***On** ne connaît pas bien l'origine de cette langue.*

SITUER DANS LE TEMPS

En/Vers 1700 - Au XIXe siècle/Moyen Âge
À l'époque de/sous Louis XIV

9. MOTS NOUVEAUX – NOUVELLES DÉFINITIONS

A. Lisez ces définitions et associez-les à l'un des mots. Il s'agit soit d'un mot qui est récemment entré dans le dictionnaire, soit d'un mot qui a une nouvelle définition.

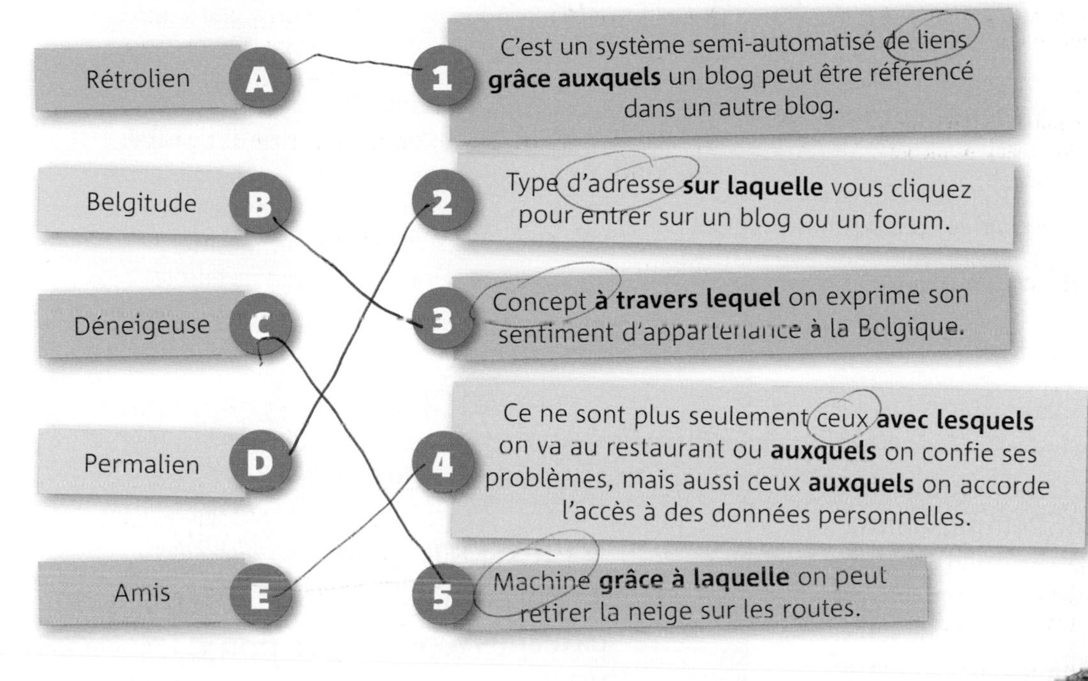

B. Observez la formation des groupes de mots en gras puis, à deux, complétez le tableau.

PRÉPOSITION	PRONOM RELATIF

C. Quelles autres prépositions ou locutions prépositionnelles pouvez-vous ajouter dans ce tableau ?

D. Par groupes, proposez deux autres définitions (d'un mot nouveau ou pas) et demandez au reste de la classe de deviner de quoi il s'agit.

Pierre Larousse, lexicographe et éditeur français

LA MISE EN RELIEF

Les structures ***C'est / Ce sont... qui, C'est / Ce sont... que*** et ***C'est / Ce sont... dont*** mettent en relief les mots qu'elles encadrent.

__Ce sont__ de vrais amis __que__ je cherche.

__C'est__ le lexicographe Pierre Larousse __qui__ a créé une célèbre collection de dictionnaires.

__C'est__ de cet article __dont__ je te parle !

LES PRONOMS RELATIFS COMPOSÉS

Les pronoms relatifs composés sont accompagnés d'une préposition et s'accordent en genre et en nombre avec le nom qu'ils représentent.

C'est un objet __avec lequel__ on écrit.
C'est une machine __dans laquelle__ on voyage.
Ce sont des ingrédients __sans lesquels__ il est impossible de bien cuisiner.
Ce sont des informations __grâce auxquelles__ la police a identifié le coupable.

LES COLLOCATIONS

Une collocation est une association habituelle d'un mot avec un autre au sein d'une phrase. C'est un rapprochement de termes qui prend du sens dans son contexte culturel.

Un __élève__ est autonome MAIS un __travailleur__ est indépendant.

On __mange__ de la viande, on __mange__ ses mots MAIS on ne __mange__ pas un livre, on le __dévore__.

CONCOURS SUR L'ORIGINE D'UN MOT

Préparation

LEXICOLOGUES EN HERBE

A. Par groupes, sélectionnez dans un article ou n'importe quel autre type de texte un mot ou une expression imagée et cherchez sa signification. Copiez-la.

B. Sur le modèle des exemples ci-dessous, inventez deux nouvelles définitions/explications du mot/de l'expression que vous avez choisi.

VOS STRATÉGIES

CONVAINCRE
Il va falloir faire preuve d'originalité, d'humour et jouer avec les similitudes phonétiques pour réussir à convaincre les autres groupes de la classe que votre explication est la plus pertinente !

Fier comme un pou

Être fier comme un pou est une expression incompréhensible au premier abord et qui, comme beaucoup d'autres, doit son succès à son absurdité. Les poux sont des petites bêtes pleines de pattes qui se promènent parfois sur les mèches de cheveux, assez gravement sans doute, mais sans aucune fierté. Que l'on dise « moche comme un pou », cela se comprend, mais fier ?...

En réalité le « pou » en question - ou *poul*, ou *pol* - est l'ancienne dénomination du coq, le mâle de la « poule » précisément, et le papa du « poulet » ! En fait, fier comme un pou veut dire « fier comme un coq ». Un petit coq même, un coquelet fringant, tout en plumes et en crête arrogante. Cela à une époque où le coq adulte s'appelait aussi *jal* ou *gai*, du latin *gallus*, alors que la vermine des coiffures étaient encore un *pouil*, ce qui explique les « pouilleux ».

Quant au coq gaulois, l'emblème, il résulte d'un jeu de mots en latin entre *gallus*, coq et *Gallus*, Gaulois, sans que nos ancêtres bien connus aient marqué une préférence particulière pour cet oiseau de basse-cour !

Source : *La puce à l'oreille*, Claude Duneton, Livre de Poche

VERMINE n.f.
1. Ensemble des insectes parasites externes (comme les poux, les puces, les punaises) qui s'attachent à l'homme ou aux animaux.
2. *Litt.* Ensemble des gens méprisables ; racailles.
3. *Fam.* Terme d'injure désignant quelqu'un de malhonnête.

Réalisation
LE CONCOURS COMMENCE !

A. Un groupe annonce aux autres groupes le nom ou l'expression proposés et en lit les trois définitions. Les autres groupes montrent leur choix (A, B ou C) sur une feuille de papier ou sur leur tablette.

B. Continuez ainsi avec tous les groupes. Le groupe ayant le plus de bonnes réponses remporte le concours.

VOS STRATÉGIES

RAPPORTER UN FAIT
Pour rapporter un fait comme incertain, douteux, on emploie les temps du conditionnel :
- *Ce mot* ***viendrait de****...* (CONDITIONNEL PRÉSENT).
- *Cette expression* ***aurait fait*** *son apparition à l'époque de...* (CONDITIONNEL PASSÉ)

5 C'EST MA VILLE !

Guangzhou, Chine

La Défense, France

À la fin de cette unité, nous allons présenter notre ville pour participer à un événement important. Un jury sélectionnera la meilleure proposition.

Montréal, Québec

Bordeaux, France

La cité idéale de Francesco di Giorgio Martini

1. PRENDRE SOIN DE SA VILLE

A. Observez ces différentes photos. À quoi vous font-elles penser ? Décrivez-les. À votre avis, quel type de villes reflètent-elles ?

- *L'équilibre et la symétrie que transmet la photo...*

B. Parmi ces photos, certaines vous rappellent-elles votre environnement urbain ? Pourquoi ?

Piste 17

C. De retour d'un congrès d'architecture, Marc Fusin nous parle de deux projets originaux alliant futurisme et écologie. Écoutez cette interview puis complétez le tableau.

	Nom du projet 1 :	Nom du projet 2 : ....
Fonction		
Mots-clés		
Objectifs environnementaux		

D. Quel est, selon vous, le projet le plus réaliste ? Justifiez votre réponse.

Piste 18

LA PAROLE EST À VOUS !
▸ Écoutez les opinions de la rue.
▸ À votre tour, réagissez.

2. UN NOUVEAU VISAGE POUR ALGER

Quelles stratégies adopter pour réhabiliter une ville ? Valorisation territoriale et transformations durables sont les maîtres-mots de la démarche adoptée par Alger.

Traiter l'aspect urbanistique, très important pour réhabiliter la ville d'Alger (Algérie)

La prise en charge de l'aspect lié à l'urbanisme est très «importante» et «essentielle» pour réhabiliter «correctement» la ville d'Alger pour la hisser au niveau de capitale «universelle», a indiqué mercredi à Alger, le directeur de l'urbanisme de la wilaya* d'Alger, Ali Bensaad. Intervenant au cours d'une table ronde organisée par la wilaya d'Alger pour la présentation du Plan Blanc relatif à la réhabilitation de la politique du logement à Alger, M. Bensaad a mis l'accent sur «l'urgence» de valoriser le parc immobilier pour redonner à la capitale «la place qui lui revient, selon les standards internationaux», notamment en matière de «compétitivité» et de «compétence».

«La capitale est dans un état de vétusté et de dégradation avancé. Les extensions dans les terrasses, la pose de paraboles, la négligence et le facteur humain ont contribué à transgresser le paysage et dénaturer l'environnement», a-t-il expliqué. L'opération de réhabilitation consiste, selon lui, à intervenir sur le cadre bâti. «Il ne s'agit pas d'opération de circonstance ou de simple ravalement de façades, mais de préserver le patrimoine pour assurer sa pérennité et la reprise totale des immeubles pour les rendre viables et conformes à l'environnement». «Il faut mettre fin à l'agression sauvage menée par nous-mêmes. Ainsi l'entretien touchera les terrasses des immeubles, les façades, l'enfouissement des câbles électriques et téléphoniques pour mieux aérer la ville et la rendre plus visible pour le citoyen», a-t-il insisté. «Pour la réhabilitation d'Alger, tout a été bien étudié, y compris la couleur des façades des immeubles pour qu'ils soient plus attractifs et conformes à l'environnement. Tout ce qui est 'agressif' sera éradiqué pour le remplacer par une esthétique élaborée», a-t-il ajouté. «Il n'est plus admissible de faire n'importe quoi. Les matériaux utilisés doivent non seulement être conformes à l'environnement, mais des produits pérennes, durables et au coût économique des plus abordables», a relevé M. Bensaad. M. Bensaad a insisté sur l'importance de la sensibilisation et de la moralisation du citoyen pour qu'il adhère à toutes les actions entreprises et veille à garder intact les réalisations une fois les travaux accomplis.

Pour sa part, le directeur de l'aménagement et de la restructuration des quartiers, Abdelkader Ghida, a mis l'accent sur la nécessité de réhabiliter le tissu urbain de la capitale, précisant que le plan de réhabilitation n'est pas uniquement centré sur les quartiers d'Alger Centre. «Cette opération concerne les logements situés notamment dans les rues, Larbi Ben M'Hidi, Zighout Youcef, Hassiba Ben Bouali, Malika Gaid et Krim Belkacem comme première étape de ce plan de réhabilitation du vieux bâti avant de toucher d'autres quartiers de la capitale à Belouizdad, Hussein Dey, El Harrach et Bab El Oued», a-t-il dit. Il a indiqué que plusieurs cités avaient été réhabilitées en dehors d'Alger centre, comme la cité Malki sur les hauteurs d'Alger.

Pour sa part le président de l'Assemblée populaire communale d'Alger Centre, Tayeb Zitouni a appelé les citoyens à coopérer sérieusement avec les autorités locales pour assurer le bon déroulement des travaux pour qu'Alger «soit plus attrayante et plus attractive». La stratégie de réhabilitation à l'orée 2029 de la ville d'Alger vise à transformer la capitale en une «perle de la Méditerranée». Cette stratégie, dotée d'une enveloppe initiale de 202 milliards de dinars, s'inscrit dans le cadre du plan d'aménagement de la baie d'Alger ; et répond, pour la première fois, à «une vision globale à très long terme destinée à restructurer, d'une manière progressive mais durable, la ville d'Alger».

*wilaya : division administrative

Source : www.algeriesite.com, 23/11/2012

A. AVANT LA LECTURE

1. Recherchez la définition du terme *urbanisme*. Après avoir lu et comparé plusieurs définitions, vous noterez ce que représente ce terme pour vous.

2. Comparez vos recherches et créez avec la classe votre définition du terme *urbanisme*.

B. LE TEXTE À LA LOUPE

1. Quels adjectifs utilise l'auteur pour qualifier Alger ?

universelle

2. Relevez les éléments du texte qui décrivent l'état actuel de la ville.

3. D'après le texte, quelles sont les différentes actions à mettre en place pour réhabiliter la ville ?

4. Pourquoi faut-il insister sur « l'importance de la sensibilisation et de la moralisation du citoyen » ?

5. Quel surnom les urbanistes veulent-ils donner à la ville d'Alger ? Pouvez-vous expliquer le choix de ce mot ?

C. APRÈS LA LECTURE

Piste 19

1. Écoutez et commentez les réactions de deux habitants d'Alger sur la réhabilitation de leur ville.

2. Par groupes, discutez des changements que vous pourriez apporter à votre ville.

3. LA CITÉ DE L'ACIER

Les cinq cents millions de la Bégum de Jules Verne raconte l'histoire de deux hommes qui héritent de la fortune de la princesse Bégum Gokool. Tandis que le Français emploie son argent à l'édification d'une cité modèle, France-Ville, l'Allemand, lui, élève la Cité de l'Acier.

JULES VERNE
Ce roman a été écrit par Paschal Grousset et remanié par Jules Verne, un grand écrivain français du XIXe, célèbre pour avoir écrit *Le tour du monde en 80 jours* et *20 000 lieues sous les mers.*

A. AVANT LA LECTURE

1. Outre les renseignements de cette fiche, que savez-vous de cet auteur ?

2. Le titre du chapitre d'où est extrait ce texte s'intitule *La Cité de l'Acier*. Quels mots ou quelles images vous viennent à l'esprit à la lecture de ce titre ? Par groupes, faites-en la liste.

B. LE TEXTE À LA LOUPE

1. Quels sont les éléments du 1er paragraphe qui rendent hostile le lieu décrit ?

2. Pouvez-vous relever les différents termes relatifs au bruit ? Qu'apportent-ils au texte ?

3. Pourquoi ne peut-on plus parler d'un « désert rouge » à partir de 1871 ?

4. Retrouvez dans le texte le passage qui décrit l'usine. Quelle impression donne-t-elle ?

C. APRÈS LA LECTURE

Que pensez-vous des villes industrielles ? En connaissez-vous ? Débattez en classe sur l'évolution du modèle urbain.

POUR ALLER PLUS LOIN
- *Les 500 millions de la Bégum*
- Benoît Poelvoorde et l'urbanisme

sur **http://20.rond-point.emdl.fr/**

Stahlstadt, la Cité de l'Acier

Si le touriste, arrêté dans ces solitudes, prête l'oreille aux bruits de la nature, il n'entend pas, comme dans les sentiers de l'Oberland, le murmure harmonieux de la vie mêlé au grand silence de la montagne. Mais il saisit au loin les coups sourds du marteau-pilon, et, sous ses pieds, les détonations étouffées de la poudre. Il semble que le sol soit machiné comme les dessous d'un théâtre, que ces roches gigantesques sonnent creux et qu'elles peuvent d'un moment à l'autre s'abîmer dans de mystérieuses profondeurs. Les chemins, macadamisés de cendres et de coke, s'enroulent aux flancs des montagnes. [...] Çà et là, un vieux puits de mine abandonné, déchiqueté par les pluies, déshonoré par les ronces, ouvre sa gueule béante, gouffre sans fond, pareil au cratère d'un volcan éteint. L'air est chargé de fumée et pèse comme un manteau sombre sur la terre. Pas un oiseau ne le traverse, les insectes mêmes semblent le fuir, et de mémoire d'homme on n'y a vu un papillon.

Fausse Suisse ! À sa limite nord, au point où les contreforts viennent se fondre dans la plaine, s'ouvre, entre deux chaînes de collines maigres, ce qu'on appelait jusqu'en 1871 le « désert rouge », à cause de la couleur du sol, tout imprégné d'oxydes de fer, et ce qu'on appelle maintenant Stahlfield, « le champ d'acier ».

Qu'on imagine un plateau de cinq à six lieues carrées, au sol sablonneux, parsemé de galets, aride et désolé comme le lit de quelque ancienne mer intérieure. Pour animer cette lande, lui donner la vie et le mouvement, la nature n'avait rien fait ; mais l'homme a déployé tout à coup une énergie et une vigueur sans égales. Sur la plaine nue et rocailleuse, en cinq ans, dix-huit villages d'ouvriers, aux petites maisons de bois uniformes et grises, ont surgi, apportés tout bâtis de Chicago, et renferment une nombreuse population de rudes travailleurs.

C'est au centre de ces villages, au pied même des CoalsButts, inépuisables montagnes de charbon de terre, que s'élève une masse sombre, colossale, étrange, une agglomération de bâtiments réguliers percés de fenêtres symétriques, couverts de toits rouges, surmontés d'une forêt de cheminées cylindriques, et qui vomissent par ces mille bouches des torrents continus de vapeurs fuligineuses. Le ciel en est voilé d'un rideau noir, sur lequel passent par instants de rapides éclairs rouges. Le vent apporte un grondement lointain, pareil à celui d'un tonnerre ou d'une grosse houle, mais plus régulier et plus grave. Cette masse est Stahlstadt, la Cité de l'Acier, la ville allemande.

47

Source : *Les cinq cents millions de la Bégum*, Jules Verne, J. Hetz el et Compagnie, 1879

4. THOMAS MORE : L'UTOPIE

Thomas More imagine dans son *Utopia* une ville idéale pour mieux dénoncer la désastreuse politique sociale de l'Angleterre du XVIe siècle.

La ville est reliée à la rive opposée par un pont qui n'est pas soutenu par des piliers ou des pilotis, mais par un ouvrage en pierre d'une fort belle courbe. Il se trouve dans la partie de la ville qui est la plus éloignée de la mer. [...] Un rempart haut et large ferme l'enceinte, coupé de tourelles et de boulevards ; un fossé sec mais profond et large, rendu impraticable par une ceinture de buissons épineux, entoure l'ouvrage de trois côtés ; le fleuve occupe le quatrième. [...]

Une autre rivière, petite, il est vrai, mais belle et tranquille, coule aussi dans l'enceinte d'Amaurote. Cette rivière jaillit à peu de distance de la ville, sur la montagne où celle-ci est placée, et, après l'avoir traversée par le milieu, elle vient marier ses eaux à celles de l'Anydre. [...]

Les maisons aujourd'hui sont d'élégants édifices à trois étages, avec des murs extérieurs en pierre ou en brique, et des murs intérieurs en plâtras. Les toits sont plats, recouverts d'une matière broyée et incombustible, qui ne coûte rien et préserve mieux que le plomb des injures du temps. Des fenêtres vitrées [...] abritent contre le vent. Quelquefois on remplace le verre par un tissu d'une ténuité extrême, enduit d'ambre ou d'huile transparente, ce qui offre aussi l'avantage de laisser passer la lumière et d'arrêter le vent.

Source : Thomas More, *Utopia - Des villes d'utopie et particulièrement de la ville d'Amaurote*, 1516

THOMAS MORE
Juriste, historien, philosophe, humaniste et homme politique anglais du XVIe siècle.

A. Repérez les adjectifs dans le texte. Que remarquez-vous quant à leur place dans les phrases ?

B. Réécrivez cette petite histoire en remplaçant les adjectifs par des synonymes chaque fois que possible, pour éviter les répétitions et rendre le texte plus riche.

5. DRÔLE D'HISTOIRE

Retrouvez, dans la colonne de droite, la signification des adjectifs en gras et émettez une hypothèse sur le changement de sens de l'adjectif selon sa place.

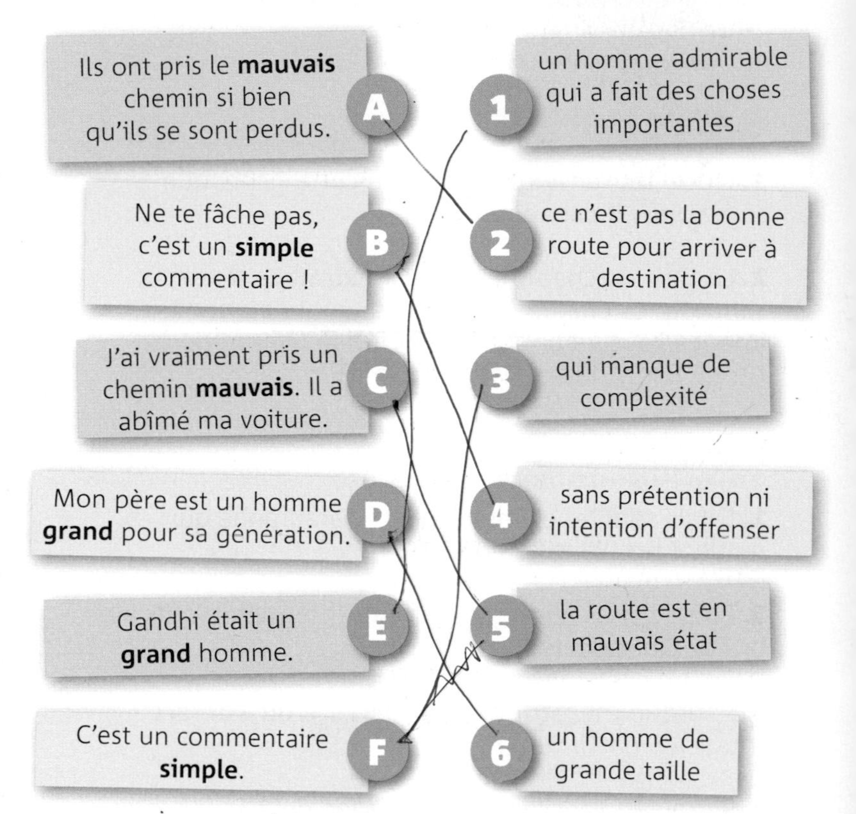

L'ADJECTIF

L'adjectif est généralement placé après le nom. Certains adjectifs changent de sens selon s'ils sont placés avant ou après le nom.

Placé après le nom, l'adjectif garde normalement son sens propre et a une signification précise.

Placé avant le nom, l'adjectif acquiert souvent un sens figuré.
Une petite amie
Une amie petite

LE BUT

- **Pour / afin de** + infinitif
  *Nathalie travaille le soir **pour / afin de** payer ses études. Paul part toujours très tôt **pour / afin de** ne pas arriver en retard.*
- **Pour que / afin que** + subjonctif
  *Je t'offre le billet d'avion **pour que / afin que** tu viennes me voir.*
- **De manière à / de façon à** + infinitif
  *Il faut appuyer sur le couvercle **de manière / de façon à** ouvrir la boîte.*
- **De sorte que / de manière (à ce) que / de façon (à ce) que** + subjonctif
  *J'ai envoyé les documents par coursier **de sorte que / de manière (à ce) que / de façon (à ce) que** tu les aies dès demain.*
- **De crainte de** + infinitif
  Il craint de lui faire de la peine.

LA CONSÉQUENCE

- Les marqueurs de conséquence
  *Il pleuvait **alors / donc / du coup / si bien que***

6. QUEL EST LE BUT ?

A. Observez les expressions de but en gras et dites ce que vous remarquez sur l'utilisation des temps verbaux.

1. La ville était construite **de manière à ce que** toutes les rues mènent à la place de la mairie.
2. Les établissements scolaires étaient près des boulangeries **de façon à ce que** les enfants puissent acheter de quoi déjeuner.
3. Il pleuvait très régulièrement dans cette région **de sorte que** tout le monde était habitué à sortir avec son parapluie.
4. Le prochain complexe sportif sera construit en matériaux recyclables **afin de** respecter les nouvelles mesures environnementales de la ville.
5. La commune a mis en place ce plan urbanistique **en vue d'**obtenir la certification écologique.
6. Je mets toujours un casque pour circuler en ville **de crainte d'**avoir un accident.
7. L'architecte s'est déguisé **de peur d'**être reconnu par les passants le jour de l'inauguration du nouveau musée.

B. Terminez les phrases suivantes.

1. Jérôme a présenté ce soir son projet de manière à...
2. Pierre a quitté son bureau plus tôt pour...
3. Louise a fait tout son possible pour que...
4. Je suis allé voir le maire de la ville afin de...
5. Je t'ai tout transmis de sorte que...

7. POUR OU PAR ?

A. Choisissez la préposition correcte.

1. On lui a retiré son permis de conduire **pour/par** ne pas avoir respecté un feu rouge.
2. Tu as envoyé le budget **pour/par** fax ou **pour/par** la poste ?
3. Je pars demain **pour/par** Marseille.
4. Tu travailles combien d'heures **pour/par** jour ?
5. James travaille **pour/par** les services secrets britanniques.
6. - *La Joconde* a été peinte **pour/par** Michel-Ange ?
   - Mais non ! **Pour/Par** Léonard de Vinci !

B. Après la correction, dites ce qu'expriment les prépositions *pour* et *par* dans les phrases du **A**.

8. CONSÉQUENCES

Lisez ces phrases et indiquez lesquelles vous semblent exprimer une conséquence. Retrouvez le mot qui introduit la conséquence.

1. Il a tant travaillé qu'il est fatigué.
2. Ce projet est si intéressant que j'y participerais bien.
3. Il s'inquiète pour l'avenir de son pays au point de ne plus dormir.
4. Il n'y a pas assez de personnes favorables au projet de loi pour qu'il soit voté.
5. Il fait une telle chaleur qu'on a dû allumer la climatisation.
6. Le conseil municipal a fait de tels efforts de communication que maintenant la ville est devenue très touristique.
7. Le pont est trop vieux pour supporter un tel passage.
8. Les difficultés énergétiques de Saint-Pierre-et-Miquelon sont telles que l'île a besoin d'être aidée.
9. On ne peut plus parler d'écologie sans que le maire ne fasse référence à son projet utopique.

***/ c'est pourquoi** nous sommes rentrés.*

▶ **Inversion verbe-pronom**
*Joe n'a pas aimé le film, **aussi** est-il parti avant la fin.*

▶ **Si / tellement... que**
*Je suis **si / tellement** fatigué **que** je m'endors absolument partout.*

*Le prof parle **si / tellement** bas que personne n'entend ce qu'il explique.*

▶ **De (telle) manière que / De telle façon que**
*Il se comportait toujours très mal **de (telle) manière / façon que** personne ne voulait plus sortir avec lui.*

POUR ET PAR

Pour :
- ▶ suivi d'un infinitif passé, exprime la cause,
- ▶ suivi d'un complément de lieu, indique une destination ou un but spatial,
- ▶ suivi d'un substantif, indique le bénéficiaire,
- ▶ suivi d'un complément de temps, indique un but temporel ou un laps de temps.

Par :
- ▶ suivi d'un substantif, indique le moyen,
- ▶ introduit l'auteur d'une action,
- ▶ indique la distribution,
- ▶ indique un passage, un lieu que l'on traverse,
- ▶ indique la distribution dans le temps,
- ▶ suivi d'un substantif sans article, exprime une « force » qui va motiver une action.

JE VOTE POUR !

Préparation

ANALYSE D'UNE CANDIDATURE

A. Lisez l'article et listez, en binôme, les arguments de Liège pour accueillir l'Expo en 2017. Dans quelles parties du texte retrouvez-vous des démonstrations/descriptions, des développements de point de vue, et des raisonnements ?

B. En vous aidant du texte ci-dessous, remplissez le formulaire d'inscription pour être ville candidate et réfléchissez aux réponses que vous devrez apporter pour présenter votre propre ville.

Liège Belgium Candidate city EXPO 2017

Formulaire d'inscription pour être candidat

Nom du projet : ....

Infrastructures de la ville :
- transports :
- hébergement :
- sites où se déroulera la compétition :
- sécurité :

Avantages pour la ville si elle est sélectionnée :

Éléments à mettre en place avant l'inauguration :

Pourquoi une Expo à Liège en 2017 ?

Les Expositions Internationales sont une occasion unique de mobiliser la Communauté mondiale autour d'un objectif commun.

La ville de Liège, cœur de la troisième agglomération de Belgique (600 000 habitants), est la capitale économique de la Wallonie.

Depuis une dizaine d'années, elle met en œuvre une stratégie de reconversion ambitieuse. Pas à pas, la ville et l'agglomération se transforment pour générer une économie de services centrée sur des pôles d'excellence.

La politique de grands projets structurants, portée par les autorités publiques et soutenue par les entreprises, l'université et les écoles supérieures conduit le Pays de Liège vers sa renaissance. En attendant l'arrivée du tram, dont le principe a été décidé par le gouvernement wallon, plusieurs projets importants sont en cours : l'Opéra Royal de Wallonie, institution de réputation internationale, est en cours de restauration ; le musée d'Art moderne et d'Art contemporain va être transformé en Centre international d'Art et de Culture. Sans compter les inaugurations récentes de la nouvelle gare TGV signée par Santiago Calatrava, le pôle de loisir « Médiacité » dessiné par Ron Aarad, le pôle muséal du Grand Curtius…

Les impacts de cette stratégie sont visibles : la ville de Liège attire chaque année de nouveaux habitants ; elle est redevenue la première destination touristique de Wallonie ; l'aéroport de Liège se place à la 8e place européenne en matière de transport de fret (1er en Belgique), le port autonome de Liège est le 1er port intérieur belge et le 3e port européen en terme de tonnages transportés et l'arrondissement de Liège est considéré, selon l'étude indépendante de Cushman et Wakefield comme la région la plus attractive d'Europe en terme de logistique.

L'arrondissement est également le siège d'entreprises mondialement connues, telles AB InBev, Mittal, Umicore, FN Herstal, Techspace Aero, EVS Broadcast, Amos ou Eurogentec… La plupart d'entre elles ont généré l'émergence de pôles de compétences dans lesquels Liège excelle : l'aéronautique, la métallurgie et la mécanique, le spatial, les biotechnologies, les technologies de l'information ou encore l'agroalimentaire.

Aujourd'hui, la ville souhaite profiter de cet élan positif pour organiser un évènement d'ampleur mondiale qui constituera le point d'orgue de la stratégie de reconversion économique et urbaine de la région liégeoise.

Une Expo répond parfaitement à cet objectif. En conclusion, organiser une Exposition internationale à Liège en 2017 est une superbe occasion de :
- mettre en valeur les points forts et *success stories* belges sur les plans économique, scientifique et culturel ;
- positionner positivement la Belgique, ses Régions et Communautés à l'international ;
- symboliser la réussite de la mutation industrielle et urbaine de la région liégeoise.

Source : www.liege-expo2017.com © Liège 2017

VOS STRATÉGIES

LORS DE LA PRÉPARATION
- Vous créez votre slogan, votre logo...
- Vous pensez à donner un titre à votre projet, à structurer votre argumentaire.
- Vous structurez votre texte : introduction, développement (étape par étape), conclusion.
- Vous impliquez le jury dans votre exposé, vous l'interpellez : *Ne pensez-vous pas... Qu'en dites-vous...*
- Vous insistez sur vos propos : *Il faut souligner que... On notera que... Rappelons que...*
- Vous donnez des exemples : *Considérons par exemple le cas de... Tel est le cas..., Par exemple...*
- Vous exprimez votre point de vue personnel : *Selon moi... À mon avis...*
- Vous pouvez insérer les témoignages des habitants, des partenaires.
- Vous pensez également aux failles de votre ville pour contrer les éventuels arguments des membres du jury.

LORS DE LA PRÉSENTATION
- Vous articulez.
- Vous faites des gestes, vous êtes dynamique

Réalisation

PRÉSENTATION DE MA VILLE

A. Votre ville est sélectionnée parmi trois autres villes pour accueillir un événement internationalement reconnu (JO, Capitale mondiale de la culture, Coupe du Monde de football...).

B. Par groupe, choisissez un événement auquel votre ville pourrait être candidate. Créez votre projet afin de le défendre.

C. Vous défendrez votre projet devant un jury ou bien vous vous filmerez et enverrez la vidéo au jury international ! Soyez créatifs !

6 CULTURE PUB

Biodégradable
Sans phosphates

la Parisienne Ultra
DÉTERSIF Biodégradable
TEST 301D

Publicité de 2008

Ideal Revolution
FLEXIBLE
NOUVEAU !
BROSSE BREVETEE* EN GOMME FLEXIBLE
www.NIVEA.fr/ideal
BEAUTÉ
NIVEA
BEAUTÉ

Biscuits Lefèvre-Utile
1897

À la fin de cette unité, nous allons créer une publicité et la défendre devant un jury.

LACOSTE

1. LA PUB ET VOUS

A. Observez ces différentes publicités. En connaissez-vous certaines ? La publicité dans votre pays ressemble-t-elle à celles-là ?

B. Quel est votre rapport avec la publicité ? Répondez à ce petit questionnaire puis, par groupes, comparez et commentez vos résultats.

1. Classez ces moments de télé de 1 (source d'ennui) à 6 (source de détente).
- Le JT
- La pub
- Les émissions de variété
- Les débats politiques
- Les films
- Les reportages

2. Avez-vous l'impression que la publicité a de l'influence sur vous ?
- Oui
- Non
- Ça dépend

3. Selon vous, la publicité est...
- inutile et désagréable.
- inutile mais agréable.
- utile et agréable.
- utile mais désagréable.

4. Si vous deviez choisir un adjectif pour qualifier la publicité, vous diriez qu'elle est...
- distrayante.
- envahissante.
- convaincante.
- agressive.
- originale.
- dangereuse.

5 La publicité devrait avoir un rôle à jouer pour une consommation responsable ?
- Oui, c'est aussi son rôle.
- Non, ce n'est pas son rôle.

6. Quand vous réalisez vos achats, vous avez tendance à suivre les conseils de la publicité.
- Toujours
- Jamais
- De temps en temps

7. Une publicité apparait en marge de votre réseau social préféré.
- Je clique dessus.
- Je ne clique jamais.
- Je clique systématiquement.

8. Au moment de la publicité au milieu du film, vous suivez les spots avec attention.
- Toujours
- Jamais
- De temps en temps

9. Êtes-vous capable de vous souvenir d'une publicité de votre enfance ?
- Oui
- Non

10. Le matin, vous vous surprenez dans la salle de bain en train de fredonner une publicité.
- Toujours
- Jamais
- De temps en temps

Ce questionnaire est inspiré du sondage annuel de l'agence Australie

Poésie, élégance et reprise des activités

2. LES FRANÇAIS SONT-ILS VRAIMENT PUBLIPHOBES ?

A. À votre avis, quelle est l'attitude des Français par rapport à la publicité ?

B. Par groupes, mettez en commun vos commentaires et rédigez un petit texte sur les Français et la publicité.

LA PAROLE EST À VOUS !
- ▸ Écoutez les opinions de la rue.
- ▸ À votre tour, réagissez.

Piste 20

3. PETIT MAIS COSTAUD

A. AVANT LA LECTURE

1. Relisez le titre de cette activité. Il s'agit d'un slogan ; faites une recherche dessus. À quoi se réfère-t-il ?

2. À deux, dressez la liste des ingrédients indispensables pour qu'un slogan soit efficace.

B. LE TEXTE À LA LOUPE

1. Expliquez certaines expressions du texte.

- le P-DG avait eu une petite moue
- un balancement de tête
- il n'empêche
- j'avais prononcé du bout des lèvres
- Dupont-Lachaume l'avait vite renvoyé dans son coin

2. Relevez, dans le texte, l'utilisation particulière des substantifs dans une fonction d'adjectif.

3. Selon le narrateur, quelles sont les caractéristiques du slogan qui ont provoqué l'enthousiasme de son chef ?

4. D'après ce récit, quelle interprétation faites-vous de sa vision du marketing ? Retrouvez des éléments de sa réflexion pour justifier votre réponse.

C. APRÈS LA LECTURE

Par groupes, à partir de ce texte, discutez de la publicité (ses budgets, ses rétributions) puis rapportez au reste de la classe ce que vous avez dit.

PHILIPPE DELERM
Philippe Delerm est un écrivain français contemporain. En 1997, il accède à la notoriété grâce au succès phénoménal de son roman *La Première Gorgée de bière et autres plaisirs minuscules*, publié chez Gallimard. Depuis, il a publié plus d'une quarantaine de nouvelles et de romans.

[…] Je revois encore cette réunion de travail où tous les gens du marketing Yopla s'étaient réunis. Il fallait une idée fraîcheur, nature, mais sans tomber dans les stéréotypes grand-mère, verger, vie d'autrefois. Duval avait proposé « Saveur des champs », et Dupont-Lachaume, le P-DG, avait eu une petite moue accompagnée d'un balancement de tête — trop convenu, banal, vu cent fois. Dumontier — ce pauvre Dumontier — croyait mieux faire avec son « Douceur-soleil », mais Dupont-Lachaume l'avait vite renvoyé dans son coin :
— Dumontier, mon vieux, soyons sérieux ! Je ne vous demande pas une chanson d'Alain Souchon[1]. Du contracté, du vrai, mais pas d'elliptique. On s'adresse à un grand public !
Moi j'étais là, vaguement en marge. Mon statut indécis d'écrivain-publiciste[2], payé à la pige[3], me donnait un rôle un peu extérieur. Et tout d'un coup, j'avais lancé : « Panier de fruits ». Au désappointement de Duval et de Dumontier, j'avais senti tout de suite que c'était gagné.
— Panier de fruits ! Panier de fruits ! Mais oui, trois fois oui, panier de fruits !
Il en mangeait déjà, Dupont-Lachaume.
— Bon sang, c'est juste ça ! Ça arrive sur la table, produit du marché, couvert de rosée, ça n'a transité nulle part. En même temps, ça ne fait pas ringard…
L'absence d'article ! Très importante, l'absence d'article. « Le panier de fruits », ça serait nul. Mais « Panier de fruits », c'est génial. Messieurs, je crois qu'on va pouvoir décliner tout ça à notre aise. Panier de fruits !
Ce jour-là, je dois le dire, mon rapport avec le langage fut bouleversé. Vingt mille francs pour trois mots. Dupont-Lachaume s'était-il montré trop généreux ?
Je ne saurais l'affirmer. On m'a dit depuis — sans doute pour me faire de la peine — que ces trois mots avaient rapporté des millions à Yopla. Il n'empêche. Vingt mille francs pour trois mots, cela changeait quelque peu mon échelle de valeurs. Deux ans auparavant j'avais touché une avance de six mille francs pour un premier roman qui m'avait coûté deux ans d'écriture, trois ans d'envois par la poste, beaucoup d'espoirs et de mélancolie. Un an après la parution, quand je m'étais enquis de mes droits d'auteur, on m'avait expliqué que mon à-valoir[4] restait acquis malgré un solde débiteur[5] — à l'évidence, j'étais loin d'avoir vendu pour six mille francs ce meilleur de moi dont l'accouchement me donnait encore la nausée.
Et voilà qu'en regardant distraitement le brouillard de novembre par la fenêtre, j'avais prononcé du bout des lèvres trois mots à vingt mille francs.
Trois mots édités bientôt à des millions d'exemplaires, avec une espèce d'éclat anonyme dont je me sentais délicieusement propriétaire.

58

Source : *Panier de fruits*, Philippe Delerm, Éditions du Rocher

1. chanteur-compositeur français à la réputation d'anticonformiste
2. souvent utilisé à la place de « publicitaire »
3. être payé à la tâche, au travail exécuté
4. somme d'argent déjà perçue ; avance sur ventes
5. solde négatif

4. LE *NAMING*, C'EST *IN*

Piste 21

A. Écoutez cet entretien avec le directeur d'une agence de *naming*. Prenez des notes à l'aide de cette fiche.

Fiche de prise de notes	
Définition du *naming*	
Importance de l'activité	
Étapes de création d'une appellation	
Critères à suivre pour la création du nom	
Avenir du métier	

B. Feriez-vous appel à une agence de *naming* ? À deux, discutez-en.

DR JOHN PEMBERTON

L'inventeur de Coca-Cola, le Dr John Pemberton a nommé sa boisson «Coca-Kola» car elle contenait des feuilles de coca et de la noix de kola. Plus tard, la marque prendra le nom de « Coca-Cola Company ». Cette appellation a un avantage certain : elle peut aisément se prononcer dans le monde entier !

5. CES MARQUES QUI SONT DES NOMS COMMUNS

A. AVANT LA LECTURE

Observez ces photos. Connaissez-vous le nom français de ces objets ?

B. LE TEXTE À LA LOUPE

Lisez l'article ci-contre et répondez aux questions.

- Dans le texte, on cite plusieurs antonomases. Lesquelles ?
- Quelle est la réaction des entreprises qui voient passer le nom de leurs produits dans le langage courant ?

C. APRÈS LA LECTURE

Connaissez-vous des cas similaires dans votre langue ? Informez-vous et écrivez un petit texte de présentation sur un produit devenu nom commun.

Les best-sellers devenus noms communs

Suprême honneur, les marques à succès entrées dans le langage courant sont plus nombreuses qu'on le croit. La preuve du rôle central qu'elles jouent dans notre vie quotidienne.

Voir son nom entrer dans le dictionnaire, c'est participer à l'évolution de la société et s'inscrire dans l'Histoire. Cet honneur n'est pas réservé aux savants qui ont inventé nos unités de mesure (ampère, gauss...) ou aux grands voyageurs qui ont introduit chez nous les plantes exotiques des jardins (bougainvillée, bégonia, magnolia...).

Depuis le début de la société de consommation, de nombreuses marques commerciales se sont elles aussi fait une place dans le langage courant. À la liste ci-après, nous aurions pu par exemple ajouter (en nous limitant aux trois premières lettres de l'alphabet) Abribus, Audimat, Bikini, Brumisateur, Carte bleue, Caméscope, Camping-Gaz, Cocotte-minute...

Les linguistes appellent cela une antonomase de nom propre. Pour les entreprises, c'est parfois ennuyeux car, quand une de leurs marques devient la dénomination usuelle d'un produit, elles s'exposent à la déchéance de leurs droits. Pour cette raison, certaines firmes refusent (souvent sans succès) toute utilisation générique des noms qu'elles ont déposés : Pédalo, Meccano, Post-it, Velux ou Zodiac, parmi beaucoup d'autres, ne peuvent théoriquement désigner que les produits des marques concernées. Dans la pratique, ce n'est pas le cas mais leurs propriétaires se font une raison : c'est la rançon du succès.

Source : capital.fr, Julie Noesser, 13/10/2010

6. REVOIR CONTINUELLEMENT, C'EST APPRENDRE SÛREMENT !

A. Avec un camarade, trouvez 9 adverbes dans ces mots mêlés.

A	T	N	B	E	C	E	A	H	X	I	J	I	K	A
I	N	T	E	L	L	I	G	E	M	M	E	N	T	L
Z	E	O	W	T	E	V	R	U	R	T	S	O	N	A
U	M	T	A	N	N	R	E	Q	Ç	N	O	P	E	I
C	E	A	R	E	T	O	S	F	J	E	L	A	M	T
E	S	L	T	M	E	M	S	U	C	M	A	S	M	I
T	U	E	G	E	M	E	I	S	R	M	I	L	E	F
V	E	M	U	R	E	N	V	U	X	E	M	Z	C	A
N	Y	E	P	E	N	T	E	S	S	C	M	O	O	M
G	O	N	L	G	T	E	M	F	R	E	T	E	N	E
I	J	T	N	E	M	M	E	D	U	R	P	O	N	N
C	O	U	M	L	E	R	N	V	A	S	L	N	I	T
X	A	N	T	T	P	A	T	I	E	M	M	E	N	T

B. Quels sont les adjectifs dont ils dérivent ?

- *L'adverbe « lentement » vient de l'adjectif...*

C. Quels sont les adverbes dont la terminaison se prononce [əmɑ̃] et ceux dont la terminaison se prononce [amɑ̃] ?

7. TOUT EN NUANCES

Comme dans l'exemple, expliquez le sens des quatre phrases de chaque groupe en fonction de la nuance qu'apporte l'adverbe.

A

1. Marylise est **naturellement** intelligente.
   Elle est d'une intelligence naturelle.
2. Marylise est **probablement** intelligente.
   Ce n'est pas certain.
3. Marylise est **incroyablement** intelligente.
   Son intelligence est inhabituelle/exceptionnelle.
4. **Malheureusement**, Marylise est intelligente.
   Quelqu'un a été déçu par l'intelligence de Marylise.

B

1. Demain, la navette entrera **peut-être** en contact avec l'atmosphère.
2. **Heureusement**, la navette entrera demain en contact avec l'atmosphère.
3. Demain, la navette entrera **brutalement** en contact avec l'atmosphère.
4. Demain, la navette entrera **lentement** en contact avec l'atmosphère.

C

1. Il a répondu **intelligemment** au test.
2. Il a **sûrement** répondu au test.
3. Il a répondu **sincèrement** au test.
4. **Curieusement**, il a répondu au test !

D

1. Elle étudie **probablement** le dossier.
2. Elle étudie **minutieusement** le dossier.
3. Elle étudie **intensément** le dossier.
4. **Hélas**, elle étudie le dossier !

FORMATION DE L'ADVERBE EN -MENT

On forme les adverbes en **–ment** à partir du féminin de l'adjectif.

*Furieuse**ment**, certaine**ment**, douce**ment***

Quand l'adjectif termine en **–ent** ou **–ant**, l'adverbe correspondant se forme avec les suffixes **–emment** et **–amment**.

*Ard**ent** ➔ ard**emment***
*Sav**ant** ➔ sav**amment***

LES ADVERBES

Les adverbes ne sont pas indispensables à la phrase. Ils apportent cependant des nuances, des précisions ou des modifications qui peuvent nous aider à mieux formuler nos pensées et à faciliter l'interprétation de ce que nous disons.

Il peut le faire.
*Il peut le faire **intelligemment.***

On distingue trois grands groupes d'adverbes, selon leur fonction.

- Les adverbes modificateurs pour modifier ou compléter un mot ou une phrase.
  *Il a mis **environ** deux heures à écrire une lettre.*
- Les adverbes modalisateurs pour commenter.
  *Tu as **probablement** tort de lui dire ça.*
  ***Heureusement**, elle m'a téléphoné ce matin.*
- Les adverbes de liaison pour renforcer la cohérence textuelle reliant des phrases ou des propositions.
  *Après avoir beaucoup hésité, il a **néanmoins** accepté. Il estime **pourtant** avoir eu de la chance.*

8. ÊTRE DE BON CONSEIL

A. Les 20 phrases suivantes expriment un conseil ou une injonction. Elles correspondent à quatre messages exprimés de quatre manières différentes selon le destinataire. Classez-les dans le tableau suivant.

1. Arrête de te torturer avec ça !
2. Ça fait grossir, tout ça !
3. Catherine, je pense que vous devriez prendre les choses plus légèrement.
4. Excusez-moi, mais il est déjà 17 h.
5. Il faudrait que vous puissiez vous reposer un peu.
6. Jacques, vous devriez prendre un peu de repos ce week-end.
7. La fin de vos soucis.
8. Le droit au repos.
9. Mais pourquoi vous ne vous reposez pas un peu, madame ?
10. Mangez sain, mangez malin !
11. Monsieur, vous faites une entorse à votre régime aujourd'hui !
12. Ne vous en faites pas, madame, on va trouver une solution.
13. Nous aurons besoin de votre document d'ici peu ; dépêchez-vous s'il vous plaît.
14. Pour aller plus vite et finir à temps vos activités.
15. Si vous ne vous dépêchez pas, vous n'aurez pas fini à temps.
16. Tu ne pourrais pas te dépêcher de finir ça ?
17. Tu ne veux pas arrêter un peu de bosser ?
18. Tu vas grossir si tu continues à manger comme ça.
19. Vous devriez suivre un régime, Martin, vous risquez d'avoir des ennuis de santé.
20. Vous devriez penser à autre chose et ne pas vous faire de souci, M. Durand.

	À un ami très proche / à quelqu'un de la famille	À un inconnu / à quelqu'un que l'on connaît mal	À un supérieur hiérarchique	Aux consommateurs (message publicitaire)
Message 1 Le temps				
Message 2 Le régime				
Message 3 Un problème				
Message 4 Le repos				

B. À deux, donnez des conseils sur les thèmes suivants aux quatre interlocuteurs de l'activité précédente.

1. Goûter à un plat traditionnel de chez vous.
2. Prendre le train plutôt que l'avion.
3. Arrêter de fumer.
4. Être sympathique et souriant avec ses collègues de travail.

POUR ALLER PLUS LOIN

- L'emploi de la langue française dans la publicité.
- Qu'en est-il de la supposée créativité linguistique de la pub ?

LES FORMES DU CONSEIL

On a recours à différentes structures selon notre relation avec l'interlocuteur.

- L'impératif dans des relations très proches (car il s'agit d'une suggestion et non pas d'un ordre).
  ***Arrête** de déprimer !*
  ***Calme-toi** un peu.*

Les publicitaires utilisent des impératifs pour se rapprocher du consommateur.
***Faites-vous** du bien ! (Huile Lesieur)*

- Le verbe **devoir** (ou **falloir**) appliqué à l'interlocuteur, souvent au conditionnel.
  *Il **faudrait** que vous finissiez avant 17 h.*
  *Tu **devrais** faire un régime.*

- Des propositions conditionnelles.
  ***Si j'étais vous,** je ne me manifesterais pas.*
  ***Si tu ne l'appelles pas,** elle ne va jamais savoir que tu penses à elle.*

- Des questions.
  Tu ne pourrais pas l'oublier ?
  ***Parlez-vous Micra ?** (Nissan Micra)*

- Des phrases courtes, souvent nominales, chargées d'implicites à interpréter. C'est le cas de nombreux slogans publicitaires et de la plupart des conseils donnés à des supérieurs ou à des inconnus.
  ***Plus un seul cheveu blanc !** (L'Oréal)*
  Des rêves à partager.

- On peut aussi utiliser des formes plus explicites de conseil, avec des verbes tels que **conseiller, suggérer, recommander.**
  *Je vous **conseille** de relire votre texte.*
  ***Recommandé** par de grandes marques.*

LE PRIX DE LA MEILLEURE PUB DE L'ANNÉE

Préparation

DÉFINIR LES CRITÈRES D'ÉVALUATION D'UNE PUBLICITÉ

A. Par groupes, vous allez réfléchir puis définir les critères de notation d'une publicité, c'est-à-dire ce qui fait qu'une pub est réussie et convaincante.

B. Mettez en commun les différents critères de la classe puis complétez cette grille. N'oubliez pas de remplir la colonne de notation pour mettre en avant les aspects les plus importants.

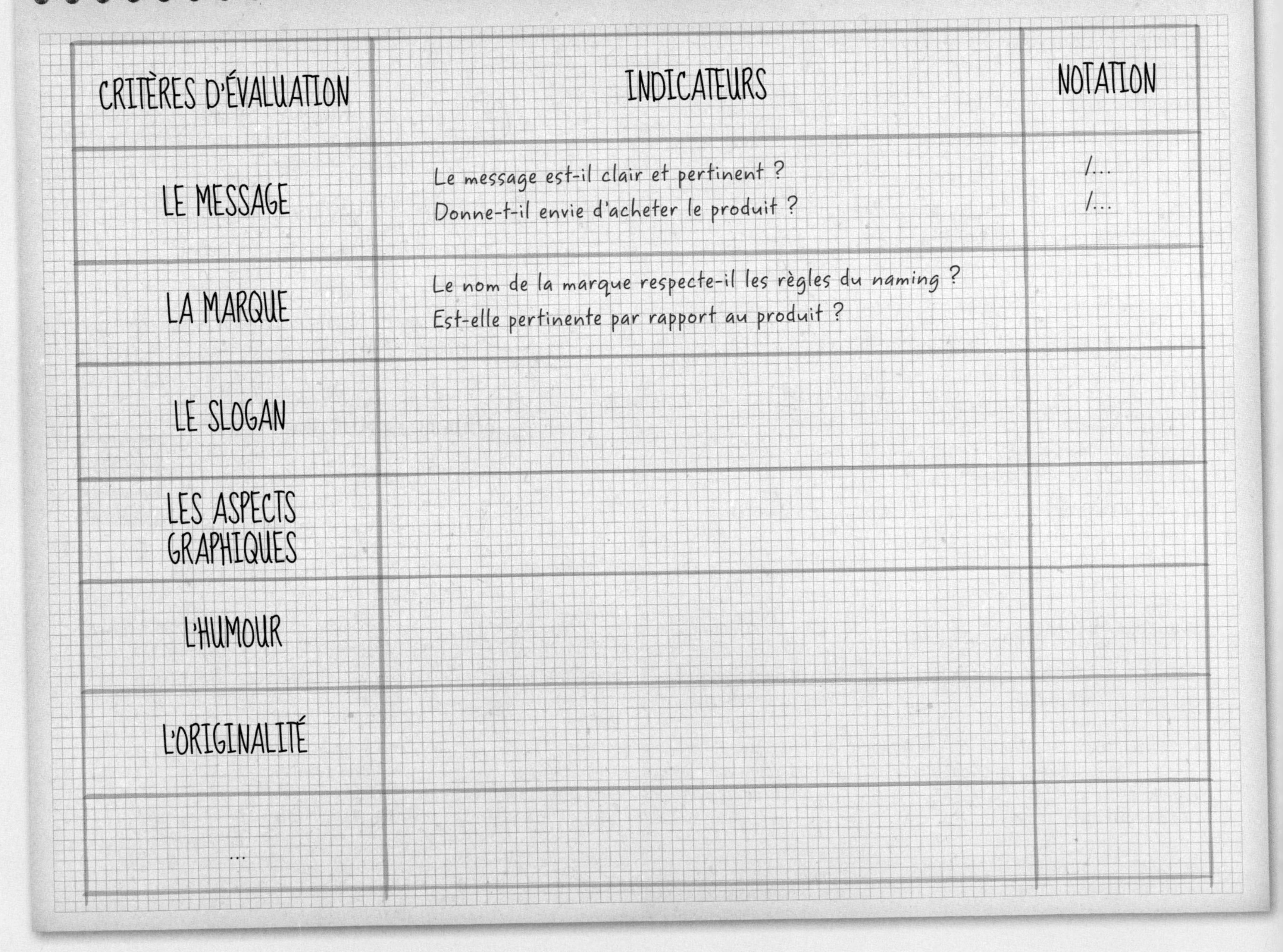

CRITÈRES D'ÉVALUATION	INDICATEURS	NOTATION
LE MESSAGE	Le message est-il clair et pertinent ? Donne-t-il envie d'acheter le produit ?	/... /...
LA MARQUE	Le nom de la marque respecte-il les règles du naming ? Est-elle pertinente par rapport au produit ?	
LE SLOGAN		
LES ASPECTS GRAPHIQUES		
L'HUMOUR		
L'ORIGINALITÉ		
...		

Réalisation

PUBLICITAIRE D'UN JOUR

Maintenant que vous avez défini les critères fondamentaux d'une bonne pub, vous allez participer au *Prix de la meilleure pub de l'année*. Pour cela, vous allez définir votre campagne publicitaire en remplissant la fiche ci-dessous avec le maximum de détails possibles (vous pouvez la personnaliser).

Si vous ne voulez pas présenter un produit, vous pouvez préparer une publicité pour un organisme (association de votre quartier/ONG/institution), un concept (la solidarité/la liberté d'expression), un événement (une pièce de théâtre/ une fête/une sortie), un lieu (votre région/votre quartier) ou même un concours !

VOS STRATÉGIES

CRÉER UNE BONNE PUB

- N'oubliez pas de prendre en compte les différents aspects abordés dans cette unité et de regarder à nouveau les affiches de la double page d'ancrage pour vous inspirer. Vous pouvez également faire des recherches sur Internet.
- Pour impressionner le jury, vous pouvez élaborer une affiche en jouant sur les polices de caractère et les couleurs.

Fiche d'identité de votre publicité

Type de produit :	Objet / Concept / Événement
Description :	Propriétés / Forme / Prix / Pourquoi votre produit est-il meilleur que celui de la concurrence ? / En quoi est-ce original ou nouveau ?
Nom commercial :	Nom de la marque
Slogan :	
Public visé :	

7 LE FRANÇAIS D'AUJOURD'HUI

Le temps ne fait rien à l'affaire.
Quand on est con, on est con !
Qu'on ait 20 ans, qu'on soit grand père
Quand on est con, on est con !

A *Le temps ne fait rien à l'affaire, 1962*

B

La politique France Africa
C'est du blaguer tuer
Ils nous vendent des armes
Pendant que nous nous battons
Ils pillent nos richesses
Et se disent être surpris de voir
L'Afrique toujours en guerre.

Françafrique, 2002

D

Rachid il a une opinion sur chaque sujet d'actualité
Il sort des bonnes chambrettes, un peu cyniques, mais vérité
Rachid c'est un sensible, un écorché et un vanneur
Et y'a de l'émotion dans l'rétro quand il raconte la marche des beurs.

Rachid taxi, 2012

E

Moi j'lui dis : « laisse béton »
Y m'a filé une beigne
J'lui ai filé une torgnolle
Y m'a filé une châtaigne
J'lui ai filé mes groles

Laisse béton, 1977

À la fin de cette unité, nous allons écrire un slam sur un sujet de notre choix et le réciter devant un jury.

Y disent qu'y dînent quand y soupent
Et y est deux heures quand y déjeunent
Au petit matin, ça sent l'yaourt
Y connaissent pas les oeufs-bacon

Les maudits Français, 2000

C

Dans la vie, faut pas s'en faire,
moi je ne m'en fais pas.
Toutes ces p'tites misères
seront passagères,
tout ça s'arrang'ra.
Je n'ai pas un caractère
à m'faire du tracas.

Dans la vie faut pas s'en faire, 1953

F

1. LA CHANSON FRANÇAISE

A. La chanson française a toujours contribué à diffuser les nouvelles tendances du langage. Voici des interprètes qui ont connu ou connaissent encore un grand succès malgré leurs textes pas toujours très académiques. Associez ces chanteurs-interprètes à l'extrait de paroles et à la photo qui conviennent.

- *D'après moi, Georges Brassens, c'est le monsieur...*

B. Observez de nouveau ces paroles puis, à deux, discutez de ces textes (lexique, rimes).

C. Formez des groupes. Chaque groupe va choisir l'un des interprètes de la liste et préparer une présentation pour le reste de la classe.

VOS STRATÉGIES

CHOISIR LE MEILLEUR SUPPORT

N'oubliez pas que vous pouvez utiliser tous les supports disponibles pour rendre votre présentation plus dynamique.

LA PAROLE EST À VOUS !

Piste 22

▶ Écoutez les opinions de la rue.
▶ À votre tour, réagissez.

2. LA LANGUE DE LA ZONE

A. AVANT LA LECTURE

Par groupes, lisez le titre et le chapeau de cet article. Les comprenez-vous? Cherchez des renseignements sur le verlan. Existe-t-il un phénomène similaire dans votre langue ou d'autres langues de votre connaissance ?

Le verlan, c'est devenu trop « relou » !

Presque toute la France avait adopté les « meufs », « oufs » et « chelou » nés dans les cités. Mais, selon le linguiste Alain Rey, ce verlan n'a plus la cote dans les quartiers où de nouveaux mots ont fait leur apparition. VINCENT MONGAILLARD | PUBLIÉ LE 01.10.2012, 07 H

Ces derniers temps, le célèbre linguiste Alain Rey, dont la nouvelle édition du *Dictionnaire historique de la langue française* vient d'être publiée, a observé un truc de « ouf » (fou), pour ne pas dire « chelou » (louche). Le verlan, cet argot qui consiste à inverser les syllabes, n'a franchement plus la cote en banlieue. « Cette créativité, ayant fait naître les mots «keuf» (flic), «meuf» (femme) ou «beur» (arabe) qui sont ensuite entrés dans le langage courant, s'est fortement essoufflée », constate ce conseiller éditorial des Éditions Le Robert. Il faut effectivement remonter à plusieurs années pour trouver des mots de verlan ayant pu sortir des cages d'escaliers.

« Caillera » (racaille), « véner » (énervé), « pécho » (choper), « à donf » (à fond) ou « renoi » (noir) font partie des derniers arrivants. « Céfran » (français) et « reum » (mère) semblent, eux, déjà périmés. Localement, il peut continuer à y avoir de multiples naissances de mots de verlan. Mais ceux-ci restent prisonniers du quartier, voire même de la bande, qui considère ce jeu linguistique comme un langage quasiment crypté.

Selon Alain Rey, qui suit de près l'évolution de la « tchatche », deux raisons expliquent ce phénomène. La première, c'est que les ambassadeurs du verlan, c'est-à-dire les rappeurs et tous ceux qui font bouger la culture hip-hop, ont changé de registre en ayant moins recours, dans leurs paroles, au verlan, jugé un peu ringard. La seconde, c'est que cette fameuse créativité s'est déplacée, victime d'un « changement de mode ». « On assiste désormais à une entrée en scène des langues maternelles. Les jeunes vont davantage insérer des mots provenant de la culture de leurs parents », explique-t-il. Abdelkarim Tengour, alias Cobra le Cynique, qui a créé sur la Toile l'excellent *Dictionnaire de la zone* (www.dictionnairedelazone.fr) recensant plusieurs centaines d'expressions du béton, est sur la même longueur d'ondes. « Les jeunes intègrent de plus en plus de mots arabes dans leur argot», indique cet ingénieur informatique de l'Essonne. Pour le rappeur Rost, à la tête de l'association Banlieues actives, cette « évolution est liée aux replis communautaires ». « On a constaté ces dernières années dans les cités un repli vers la famille en raison de la crise. Cela a forcément une influence sur le langage : on va utiliser davantage les mots de la communauté pour communiquer », avance-t-il. Ces emprunts à l'arabe, mais aussi au bambara ou au créole, font une percée dans les textes des rappeurs, à l'instar de Mister You ou Tunisiano. Sur le déclin, le verlan n'est pas, pour autant, totalement mort. Aussi « zarbi » (bizarre) que cela puisse paraître, c'est un peu comme un volcan endormi susceptible de se réveiller à tout moment. « Ça peut, par exemple, se recycler en littérature, prévient Alain Rey. En linguistique, on peut tout imaginer mais on ne peut rien prévoir… »

Source : *Le Parisien*, Vincent Mongaillard, 1 octobre 2012

B. LE TEXTE À LA LOUPE

1. Dressez la liste des mots de verlan que contient l'article et proposez un équivalent en français standard.

2. Selon cet article, en quoi consiste le verlan ?

3. À quoi le journaliste fait-il référence quand il parle « des cages d'escaliers » ?

4. Comment pourrait être caractérisé le nouveau langage ?

5. Selon vous, que signifie l'expression « repli identitaire » ?

C. APRÈS LA LECTURE

1. À présent, relisez l'article et prenez des notes sur les explications qu'apportent A. Rey et A. Tengour sur les raisons de l'évolution du français, notamment des cités.

2. Comme A. Rey et A. Tengour, réagissez (à l'oral ou par écrit) à cet article et donnez des exemples.

ALAIN REY

Alain Rey est spécialiste de la linguistique et de la lexicographie. En 1952, il devient le premier collaborateur de Paul Robert, le créateur des célèbres dictionnaires. Il est également l'auteur du très complet *Dictionnaire culturel de la langue française*.

3. LA COUPE DU MONDE DE SLAM

A. AVANT LA LECTURE

1. Avant de lire cet article, faites le point sur vos connaissances sur le slam.

2. Comment comprenez-vous l'expression « Slam' fait plaisir » contenue dans le titre de l'article ?

http://soirmag.lesoir.be/

Un Belge en finale de la Coupe du monde, Slam' fait plaisir !

Champion de Belgique, Youness est arrivé quatrième à la Coupe du monde de slam organisée à Paris, du 30 mai au 5 juin. Portrait.

« Ce soir, j'ai vu 16 slameurs mais un seul poète », lance cash Young Dawkins, le candidat écossais, professeur d'université, à Youness, champion de slam de Belgique, à l'issue de la demi-finale de la Coupe du monde de slam. Un beau compliment pour notre compatriote, qui n'a pas démérité pour sa première participation – il s'agissait aussi d'une première pour la Belgique en cinq éditions – à la Coupe du monde de slam, puisqu'il est arrivé quatrième, derrière la Brésilienne, le Canadien et le Québécois David Goudreault, qui remporte le titre sur le sol parisien, dans l'enceinte du très beau théâtre de Ménilmontant.

Jeune Bruxellois de 28 ans, Youness a déjà fait ses preuves dans son pays. Sacré champion de Belgique fin 2010, il s'est aussi classé troisième au championnat d'Europe, qui a eu lieu à Reims en décembre dernier. Alliant des textes aux thèmes très personnels (son classique «Pleurer pour une raison», qui touche tant par le fond que par la forme ou encore « Je suis sur la corde raide » et « Prolongations : premier qui marque ») à des rimes fortes et un flow jamais monotone, le slameur belge se défait petit à petit de cette étiquette de clown triste qu'on lui a collé depuis qu'il écrit. Depuis qu'il existe. Car, entre des textes pas toujours joyeux, on rigole.

À l'aide de deux amis, Youness a monté en 2008 un spectacle qui lui a permis de voyager un peu partout en Belgique et même… à Montréal. Intitulé «Slam'fait plaisir!», ce spectacle musical est la meilleure façon d'apprendre à connaître Youness. À la fin du show, vous avez l'impression de vous être fait un ami. La gentillesse évidente du personnage, qui se cache derrière son bonnet porte-bonheur et un appendice nasal surdéveloppé, casse les stéréotypes que certains peuvent parfois coller aux artistes issus du hip-hop, qualifiés trop souvent (et trop vite) de « faiseurs de bruit ». Mark Smith, l'inventeur du slam qui définit la discipline comme un « grand carnaval », dit de Youness qu'il «donne vie aux mots».

Source : Article de la rédaction, © *Le Soir magazine*, 6 juin 2011

B. LE TEXTE À LA LOUPE

1. À votre avis, pourquoi Youness porte-t-il l'étiquette de « clown triste » ?

2. Comment comprenez-vous l'expression « grand carnaval » ?

3. À votre avis, que veut dire Mark Smith quand il dit que Youness « donne vie aux mots » ?

C. APRÈS LA LECTURE

1. Le phénomène existe-t-il chez vous/dans votre langue ?

2. Choisissez un slameur français et présentez-le au reste de la classe.

POUR ALLER PLUS LOIN
Vidéo en ligne sur
http://20.rond-point.emdl.fr/

4. TU FAIS QUOI ?

A. Regroupez les questions qui ont le même sens puis, à deux ou par groupes réduits, comparez vos résultats.

A Où es-tu né ?
B Combien cela coûte-t-il ?
C Comment s'appelle-t-il ?
D On fait quoi dimanche ?
E Il s'appelle comment ?
F Combien est-ce que ça coûte ?
G Comment est-ce qu'il s'appelle ?
H T'aimes les huîtres ?
I Où est-ce que tu es né ?
J Faut attendre combien de temps ?
K Est-ce que tu aimes les huîtres ?
L Ça fait combien ?
M Combien de temps faut-il attendre ?
N T'es né où ?
O Combien de temps est-ce qu'il faut attendre ?
P Que ferons-nous dimanche ?
Q Aimes-tu les huîtres ?
R Qu'est-ce qu'on fera dimanche ?

B. Associez chacune de ces questions à un registre de langue.

Registre familier	Registre standard	Registre soutenu
T'es né où ?	Où est-ce que tu es né ?	Où es-tu né ?

C. À votre tour, posez les questions ci-dessous dans un registre soutenu puis familier.

1. Où est-ce que tu habites ?
2. Est-ce que tu connais ce jeune homme ?
3. Quand est-ce qu'ils arrivent ?
4. Qu'est-ce que nous allons manger ce soir ?
5. Qu'est-ce que tu as dit ?
6. Est-ce que tu as vu le dernier film de Leconte ?

POSER UNE QUESTION (LA QUESTION DIRECTE)

Registre soutenu
On inverse le verbe et le pronom sujet.
*Que **fait-il** dans la vie ?*
*Mélanie **a-t-elle eu** le temps de relire le rapport ?*

Registre standard
On commence la question par *qu'est-ce que* ou *est-ce que*.
***Qu'est-ce qu'**il fait dans la vie ?*
***Est-ce que** c'est vrai ?*

Registre familier
On remplace le point par un point d'interrogation.
Pierre vient vendredi.
*Pierre vient vendredi **?***

On renvoie le mot interrogatif en fin de phrase.
*Tu t'appelles **comment** ?*

Que interrogatif devient *quoi*.
*Vous faites **quoi** dans la vie ?*

LA NÉGATION

Les deux particules négatives encadrent le verbe conjugué.
*Je **ne** travaille **pas**. Il **ne** pleure **jamais**.*

Elles le précèdent quand il est à l'infinitif.
*Mes parents m'ont dit de **ne pas** rentrer tard.*

La négation porte sur l'ensemble de la phrase...
Je ne fume pas.

5. TRÈS ÉMU

Piste 23

A. Écoutez une même phrase lue sur des tons différents et associez-la aux propositions suivantes.

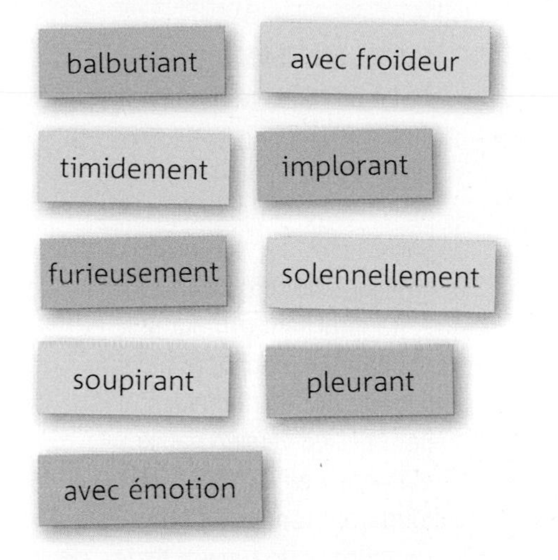

B. Par groupes, choisissez un de ces tons pour lire une phrase de votre choix ; les autres groupes doivent deviner le ton que vous avez utilisé.

6. SLAM RIME AVEC LAME, POÉSIE AVEC FANTAISIE !

A. Par groupes de trois et à l'aide d'un dictionnaire, écrivez tous les mots qui vous viennent à l'esprit à la lecture des mots suivants.

- la beauté
- la peur
- la tristesse
- la famille
- les amis
- la nuit
- la routine
- l'ennui
- la colère
- les rêves
- les retrouvailles
- l'homme
- la femme
- les voyages
- l'attente

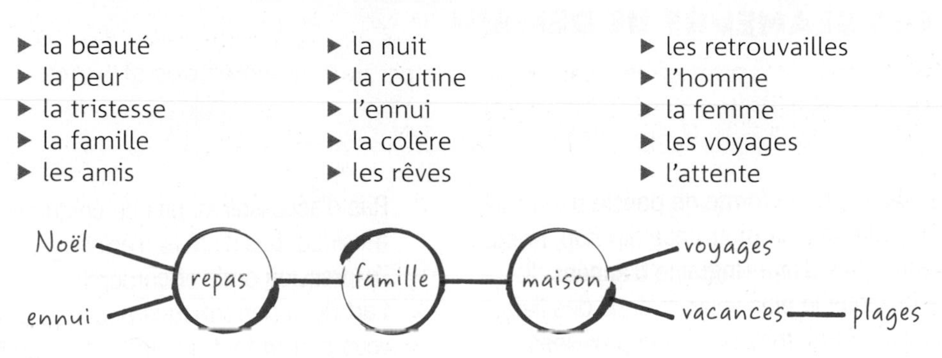

B. Y a-t-il dans vos listes des mots qui riment ? Mettez vos recherches en commun et écrivez les listes au tableau.

- *Dans notre liste, on a mis « voyages » qui rime avec « plage ».*

C. À deux, cherchez des mots français qui riment avec vos prénoms. Ensuite, gardez seulement les mots qui vous plaisent pour lire cette liste à la classe.

7. AUCUN, JAMAIS, PERSONNE

A. Renforcez l'aspect négatif de ces phrases à l'aide de la particule négative proposée entre parenthèses.

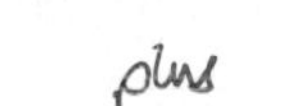

1. Je n'ai pas de doutes sur les capacités de ce candidat. (aucun/e)
2. Le directeur ne prend pas le temps de nous expliquer l'importance des nouveaux projets. (jamais)
3. Ne le répète pas ! (personne)
4. Désolé mais je n'ai pas de temps à vous consacrer. (plus)
5. J'ai eu beau chercher, je n'ai pas retrouvé ce dossier. (nulle part)
6. Allume la lumière, on n'y voit pas ! (rien)

B. À votre tour, proposez une phrase pour chacune de ces formes négatives.

... ou sur une partie de la phrase.
Je ne mange pas de sucreries.
(= je mange, mais pas des sucreries)

Pas peut être remplacé par d'autres mots à valeur négative comme *plus, jamais, personne...*
- Tu es encore furieux contre moi ?
*- Non, je **ne** le suis **plus**.*
*Je **ne** suis **jamais** venu ici.*
*Il **n'**y a **personne** dans la salle.*

LES RIMES

La rime féminine : répétition d'une syllabe contenant un *e* muet non accentué.
folie
mélancolie

La rime masculine : répétition d'une syllabe accentuée.
chanté
beauté

La rime pauvre : répétition d'une seule voyelle
locaux - animaux
battu - perdu

La rime suffisante : répétition de consonne
cheval - fatal
opportune - lune

La rime riche : consonne + voyelle + consonne
mineur - bonheur / grise - mise

CONCOURS MONDIAL DE SLAM

Préparation

LES SLAMEURS DE DEMAIN

A. Lisez ce texte et choisissez un thème de slam. Formez des groupes selon vos affinités.

Le slam est une forme de poésie orale très présente dans la mouvance hip-hop, existant depuis plus d'une vingtaine d'années. Il se pratique le plus souvent dans des lieux publics : bars, mini-scènes improvisées ; ouvert à tous, c'est un moyen d'expression, de rencontre et d'échange.

Les poèmes doivent être une œuvre originale du poète. Les textes peuvent être de n'importe quel style et sur n'importe quel thème. C'est d'ailleurs la grande diversité des styles qui fait la richesse du slam. Choisissez, de préférence, un thème qui vous passionne.

Pas d'accessoires, pas de costumes, pas de musique, pas d'effets d'éclairage... seulement l'expression orale et corporelle.
L'art de la performance poétique à l'état pur, vous pouvez tout au plus utiliser un fond musical.

Une fois votre texte prêt, entraînez-vous à le réciter à l'oral. Parlez distinctement, articulez et donnez du rythme à vos phrases. Par exemple, appuyez sur les mots lourds de sens, n'hésitez pas à adopter un *flow* chantant par instants et jouez avec votre débit, tantôt lent, tantôt très rapide. Votre slam n'en sera que plus rythmé.

VOS STRATÉGIES

ÉCRIRE EN VERS
Écrire en français et en plus en faisant des vers sans en avoir l'air n'est pas simple. Mais c'est un effort nécessaire qui, en plus, va vous aider à améliorer votre prononciation en rapprochant orthographe et phonétique. Pour vous aider, il existe des dictionnaires de rimes en version papier mais aussi en ligne qui vous fourniront rapidement des solutions pour que vos textes riment.

B. Sur le même modèle que ce règlement, vous allez élaborer vos propres règles pour le concours (nombre de vers / indications scéniques / nombres d'interprètes / chronométrage du slam).

Règles du Grand Slam National de la FFDSP*

Les poètes peuvent traiter n'importe quel sujet, dans n'importe quel style.

Limitation des passages dans le temps : aucun poème ne doit durer plus de trois minutes.

L'utilisation d'instruments de musique ou de musique préenregistrée est interdite.

L'utilisation d'accessoires est interdite. La performance du poète repose sur son texte et sa relation avec le public. Cette règle est importante car elle vise à rappeler que l'art du slam se concentre uniquement sur les mots et non sur les objets.

Les 5 juges, sélectionnés dans le public, attribuent une note après chaque poème sur une échelle de 0 à 10. Sur les cinq notes, la note la plus haute et la plus basse sont retirées. Le score total des trois notes restantes est inscrit au fur et à mesure sur un tableau.

* FFDSP : Fédération Française De Slam Poésie

LA BLAQUE

POUR ALLER PLUS LOIN
- Un chercheur de rime
- Organismes dédiés au slam sur **http://20.rond-point.emdl.fr/**

Réalisation

EN SCÈNE !

A. Vous allez écrire un slam selon le règlement que vous avez rédigé et en apprendre chacun un passage.

B. Vous pouvez maintenant prendre votre courage à deux mains et monter sur scène. Vous allez réciter votre slam à tour de rôle devant un jury choisi au hasard qui décidera quel groupe a proposé la meilleure prestation et attribuera une note entre 0 et 10. Ceux qui obtiennent le meilleur score passent au second tour.

VOS STRATÉGIES

MONTER SUR SCÈNE

Quelques indications avant de monter sur scène :

- n'oubliez pas de sourire,
- prononcez clairement chaque mot,
- regardez le public de temps en temps même si vous êtes monté sur scène avec votre texte,
- dans le slam, il n'y a ni musique, ni déguisement, mettez donc en avant votre voix et votre texte,
- amusez-vous !

8 C'EST LA LUTTE FINALE !

Les suffragettes, 1935.

Mouvement pour la régularisation des sans-papiers.

Manifestations étudiantes à Paris, 2009.

Dans cette unité, nous allons préparer un communiqué de presse dans le cadre d'un conflit en entreprise.

1. QUAND LA RUE PREND LA PAROLE...

A. Observez ces documents. À deux, sélectionnez-en un et expliquez les raisons de votre choix.

B. Faites des recherches sur l'événement choisi et présentez-le au reste de la classe.

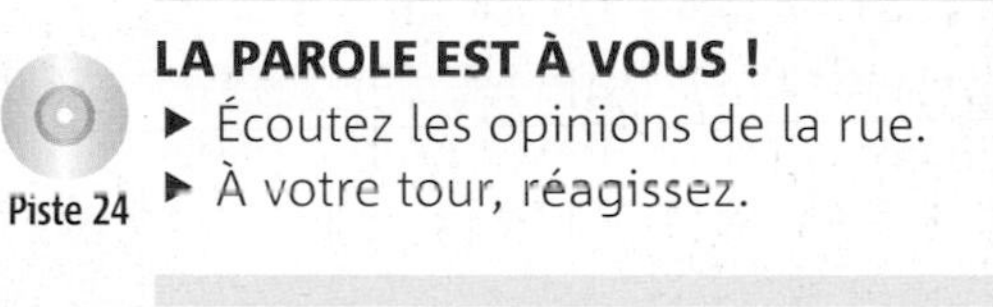

LA PAROLE EST À VOUS !

Piste 24

- Écoutez les opinions de la rue.
- À votre tour, réagissez.

D

Manifestations étudiantes au Québec, 2012.

E

Grève des mineurs en France, 1885.

F

Manifestations de mai 68 en France, 1968.

2. LES (NOUVEAUX) MOUVEMENTS SOCIAUX (NMS)

A. AVANT L'ÉCOUTE

1. Pour vous, qu'est-ce qu'un « mouvement social » ?

- *Un mouvement social, c'est... En tout cas, c'est mon point de vue.*

2. Observez ce document. Si vous deviez choisir une cause, laquelle serait-ce ?

le droit à la grève l'égalité homme-femme
la protection de l'enfance les Indignés
la lutte contre le racisme
la lutte contre l'exclusion le non à la guerre

3. Cherchez le sens de ces mots ou locutions.

- Une société en déclin
- Un badge
- Un enjeu
- Un réseau social
- Un OGM
- Un cyber-militant
- La Toile
- Un SDF
- Les NMS

Quand on fait référence à « une société en déclin », on veut parler de...

B. L'AUDIO À LA LOUPE

Piste 25

1. Écoutez cette interview. Quelle différence le sociologue établit-il entre « action collective » et « mouvement social » ?

2. Relevez les trois principes du « mouvement social » tel que l'énonce M. Langevin.

3. Citez deux types d'enjeux et trois types d'acteurs qui caractérisent les NMS.

4. Dans cet entretien, M. Langevin parle des NMS qui agissent dans le domaine de l'exclusion sociale et ceux qui le font dans le domaine de l'exclusion culturelle. Quels exemples cite-t-il pour chacune de ces exclusions ?

5. Relevez les exemples de nouvelles formes d'actions que mènent les NMS.

6. D'après M. Langevin, Internet est-il en train de jouer un rôle dans les changements que connaissent les mouvements sociaux ? Relevez les deux exemples cités.

C. APRÈS L'ÉCOUTE

Par groupes, réalisez une recherche sur des mouvements sociaux qui ont occupé la une de la presse ces derniers temps. Sélectionnez-en un puis présentez-le sous forme d'article (caractéristiques du mouvement, revendications, acteurs, résultats ou conséquences, contre-propositions...).

3. LE DISCOURS D'ÉTIENNE

A. AVANT LA LECTURE

1. Cet extrait est issu du livre *Germinal*. Cherchez des renseignements sur cette œuvre.

2. À partir de ces renseignements, quel est, à votre avis, la teneur du discours d'Étienne ?

Il leva un bras dans un geste lent, il commença ; mais sa voix ne grondait plus, il avait pris le ton froid d'un simple mandataire du peuple qui rend ses comptes. Enfin, il plaçait le discours que le commissaire de police lui avait coupé au Bon-Joyeux ; et il débutait par un historique rapide de la grève, en affectant l'éloquence scientifique : des faits, rien que des faits. D'abord, il dit sa répugnance contre la grève : les mineurs ne l'avaient pas voulue, c'était la Direction qui les avait provoqués, avec son nouveau tarif de boisage. Puis, il rappela la première démarche des délégués chez le directeur, la mauvaise foi de la Régie, et plus tard, lors de la seconde démarche, sa concession tardive, les dix centimes quelle rendait, après avoir tâché de les voler. Maintenant, on en était là, il établissait par des chiffres le vide de la caisse de prévoyance, indiquait l'emploi des secours envoyés, excusait en quelques phrases l'Internationale, Pluchart et les autres, de ne pouvoir faire davantage pour eux, au milieu des soucis de leur conquête du monde. Donc, la situation s'aggravait de jour en jour, la Compagnie renvoyait les livrets et menaçait d'embaucher des ouvriers en Belgique ; en outre, elle intimidait les faibles, elle avait décidé un certain nombre de mineurs à redescendre. Il gardait sa voix monotone comme pour insister sur ces mauvaises nouvelles, il disait la faim victorieuse, l'espoir mort, la lutte arrivée aux fièvres dernières du courage. Et, brusquement, il conclut, sans hausser le ton.

– C'est dans ces circonstances, camarades, que vous devez prendre une décision ce soir. Voulez vous la continuation de la grève ? Et, en ce cas, que comptez-vous faire pour triompher de la Compagnie ? Un silence profond tomba du ciel étoilé. La foule, qu'on ne voyait pas, se taisait dans la nuit, sous cette parole qui lui étouffait le cœur ; et l'on n'entendait que son souffle désespéré, au travers des arbres.

Mais Étienne, déjà, continuait d'une voix changée. Ce n'était plus le secrétaire de l'association qui parlait, c'était le chef de bande, l'apôtre apportant la vérité. Est-ce qu'il se trouvait des lâches pour manquer à leur parole ? Quoi ! depuis un mois, on aurait souffert inutilement, on retournerait aux fosses, la tête basse, et l'éternelle misère recommencerait ! Ne valait-il pas mieux mourir tout de suite, en essayant de détruire cette tyrannie du capital qui affamait le travailleur? Toujours se soumettre devant la faim, jusqu'au moment où la faim, de nouveau, jetait les plus calmes à la révolte, n'était-ce pas un jeu stupide qui ne pouvait durer davantage ? Et il montrait les mineurs exploités, supportant à eux seuls les désastres des crises, réduits à ne plus manger, dès que les nécessités de la concurrence abaissaient le prix de revient. Non ! le tarif de boisage n'était pas acceptable, il n'y avait là qu'une économie déguisée, on voulait voler à chaque homme une heure de son travail par jour. C'était trop cette fois, le temps venait où les misérables, poussés à bout, feraient justice.

Il resta les bras en l'air. La foule, à ce mot de justice, secouée d'un long frisson, éclata en applaudissements, qui roulaient avec un bruit de feuilles sèches. Des voix criaient : – Justice !... Il est temps, justice !

Extrait de *Germinal*, Émile Zola, 1885

B. TEXTE À LA LOUPE

1. Expliquez ces passages extraits du texte.

- « *La situation s'aggravait de jour en jour* »
- « *Étienne [...], c'était l'apôtre apportant la vérité* »

2. Répondez aux questions suivantes.

- Pourquoi les mineurs sont-ils en grève ?
- Quelle a été l'attitude de l'entreprise ? A-t-elle fait des concessions ?
- De quoi la Compagnie menace-t-elle les mineurs en grève s'ils ne reprennent pas le travail ?

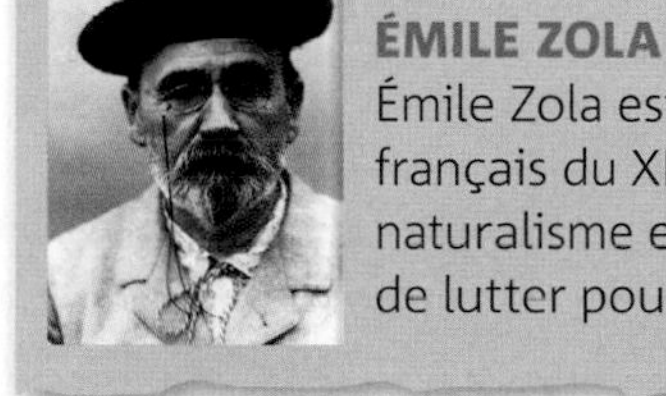

ÉMILE ZOLA
Émile Zola est un romancier et journaliste français du XIXe siècle. Chef de file du naturalisme et écrivain engagé, il n'a cessé de lutter pour la vérité et la justice.

C. APRÈS LA LECTURE

1. Après avoir lu ce passage, pourquoi peut-on vraiment dire qu'Étienne est un « meneur de grève » ?

2. À partir du texte, imaginez et interprétez le discours d'Étienne.

4. LAISSEZ VOTRE MESSAGE APRÈS LE BIP SONORE

A. La secrétaire de la directrice Mme Franckie Germain écoute et note les messages enregistrés sur le répondeur. Elle en a déjà noté quatre. Observez les structures qu'elle utilise pour rapporter deux questions, un ordre et une assertion.

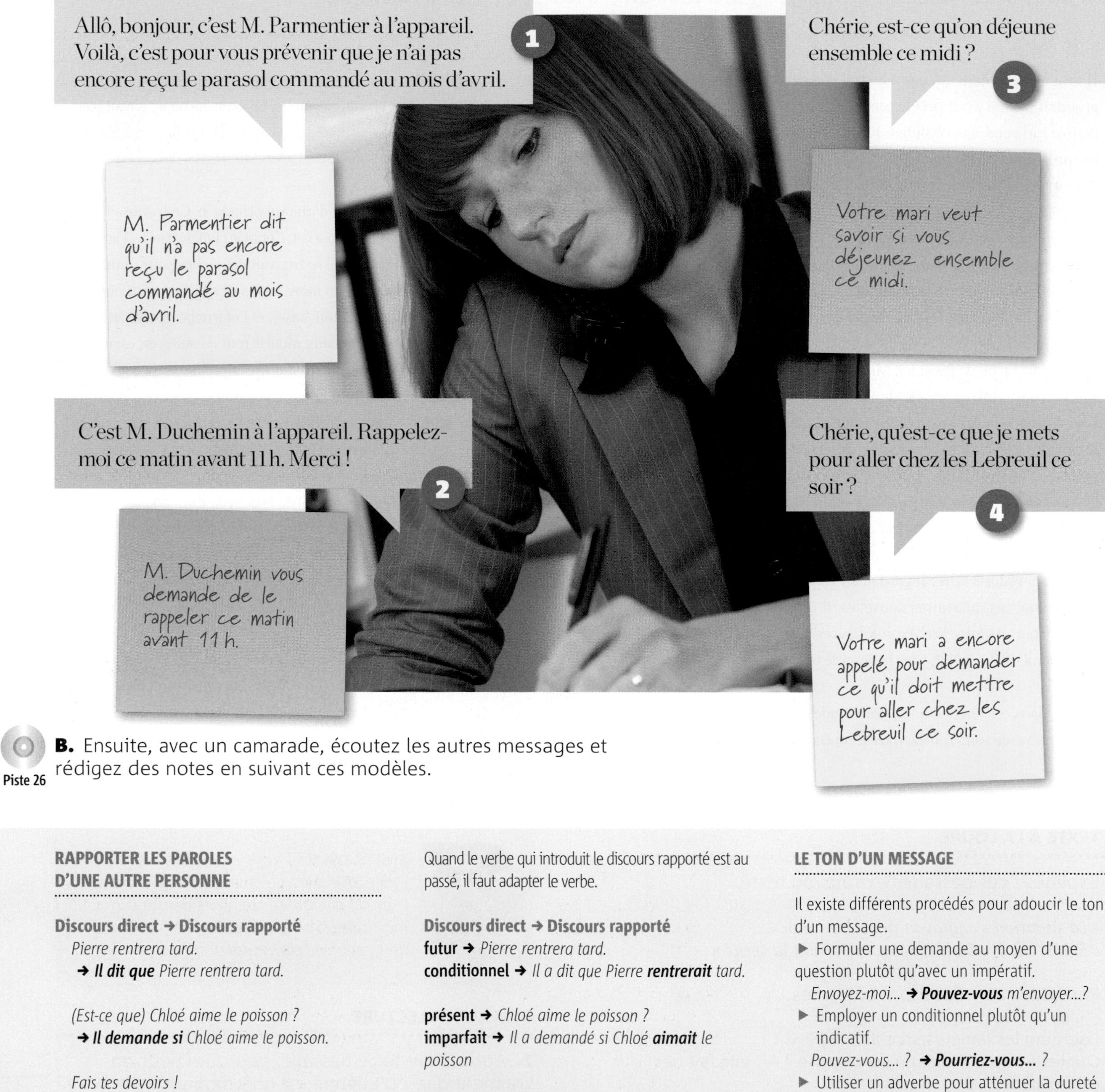

Piste 26

B. Ensuite, avec un camarade, écoutez les autres messages et rédigez des notes en suivant ces modèles.

RAPPORTER LES PAROLES D'UNE AUTRE PERSONNE

Discours direct → Discours rapporté

Pierre rentrera tard.
→ ***Il dit que*** *Pierre rentrera tard.*

(Est-ce que) Chloé aime le poisson ?
→ ***Il demande si*** *Chloé aime le poisson.*

Fais tes devoirs !
→ ***Il me dit/m'ordonne de*** *faire mes devoirs.*
(de + infinitif)

Quand le verbe qui introduit le discours rapporté est au passé, il faut adapter le verbe.

Discours direct → Discours rapporté

futur → *Pierre rentrera tard.*
conditionnel → *Il a dit que Pierre* ***rentrerait*** *tard.*

présent → *Chloé aime le poisson ?*
imparfait → *Il a demandé si Chloé* ***aimait*** *le poisson*

passé composé → *Pourquoi es-tu parti si tôt ?*
plus-que-parfait → *Il m'a demandé pourquoi* ***j'étais parti*** *si tôt.*

LE TON D'UN MESSAGE

Il existe différents procédés pour adoucir le ton d'un message.

- Formuler une demande au moyen d'une question plutôt qu'avec un impératif.
  Envoyez-moi... → ***Pouvez-vous*** *m'envoyer...?*
- Employer un conditionnel plutôt qu'un indicatif.
  Pouvez-vous... ? → ***Pourriez-vous...*** *?*
- Utiliser un adverbe pour atténuer la dureté d'une affirmation.
  Vous savez ***probablement/certainement/que*** *je n'ai pas encore reçu ma commande...*

5. UNE PROPOSITION SURPRENANTE

A. Lisez ce courriel dans lequel Daniel raconte à une amie sa discussion avec son patron.

De : Daniel
Objet : Je suis perdu !

Bonjour Marie,

Tu sais quoi ? On a eu une réunion avec mon Directeur Général ce matin et il nous a annoncé que nous allions ouvrir une filiale en Amérique latine ! Imagine ma surprise ! Il s'en est d'ailleurs rendu compte car il m'a demandé pourquoi je faisais cette tête. Je n'y suis pas allé par quatre chemins et je lui ai fait part de mon étonnement. En effet, je lui ai rappelé que depuis quelque temps déjà nous nous étions concentrés sur les marchés africains et asiatiques et que je ne comprenais pas pourquoi nous allions concentrer nos efforts sur un autre continent. Tu penses bien qu'il m'a assuré que l'un n'empêchait pas l'autre et que nous serions sur tous les fronts. Mais attends un peu ! C'est à ce moment-là qu'il m'a dit qu'il comptait sur moi… Je lui ai demandé s'il pouvait être un peu plus précis. Pour le coup, il ne pouvait pas faire plus clair car il m'a répondu que l'entreprise souhaitait que je parte m'installer à Lima pour tout organiser sur place. Il m'a proposé de prendre quelques jours pour réfléchir à ces nouvelles responsabilités. Je t'avoue que je suis un peu perdu et je ne sais pas trop quoi faire. Qu'est-ce que tu ferais si tu étais à ma place ?

Merci !!!!!! Bises
Daniel

B. Reconstituez le dialogue entre Daniel et son DG à partir de ce mail.

C. Maintenant, répondez à Daniel dans un court texte, comme si vous étiez Marie.

6. J'AI HORREUR DES RÉUNIONS SANS FIN !

A. Que vous inspirent les sentiments suivants ? Pensez à votre environnement professionnel et parlez de votre travail, des collègues, des horaires… Discutez-en avec un camarade.

Une chose	que qui dont	j'aime bien / beaucoup je n'aime pas beaucoup / du tout je déteste je ne supporte pas je ne comprends pas j'ai horreur me rend malade / furieux m'irrite m'agace me fait rire / peur m'énerve me tape sur les nerfs je me méfie

B. Maintenant, développez ces idées à l'écrit en utilisant les différentes structures expliquées dans l'encart grammatical.

▶ Insérer des formules toutes faites.

*Je n'ai pas encore reçu, et **il s'agit certainement d'un malentendu**, les produits que je vous ai commandés.*

*Ce retard de paiement, **nous en sommes convaincus**, est un simple oubli de votre part.*

▶ Employer une structure passive ou une forme impersonnelle pour éviter de désigner un responsable de l'action.

*Vous ne m'avez toujours pas remboursé mes frais de voyage. → Mes frais de voyage ne m'**ont** toujours pas **été remboursés**.*

ÉMOTIONS ET SENTIMENTS

Exprimer sa gratitude, remercier

▶ **apprécier** + nom / **ce que/ce qui** + indicatif
***J'apprécie** votre sincérité/**ce que** vous avez fait.*

▶ **Merci de/d'** + nom / infinitif
***Merci de** votre présence/**d'**être là un samedi.*

▶ **Comment remercier pour** + nom / **pour ce que** + indicatif ***Comment vous remercier pour** votre aide/**ce que** vous avez dit ?*

Exprimer des regrets, de la nostalgie

▶ **Je regrette de** + infinitif / **ce que/ce qui** + indicatif / **que** + subjonctif
***Je regrette de** partir/**ce que** j'ai dit/**ce qui** s'est passé.*

▶ **C'est avec tristesse/émotion… que** + indicatif
***C'est avec émotion que** je vous dis à bientôt !*

▶ **J'aurais tant aimé que** + subjonctif
***J'aurais tant aimé que** vous restiez parmi nous.*

Exprimer un souhait

▶ **espérer** + infinitif / **que** + indicatif
***J'espère** vous revoir/**que** tu viendras ce soir.*

Exprimer sa joie, sa satisfaction

▶ **être ravi(e)… de** + infinitif / **que** + subjonctif.
***Je suis ravi de** vous connaître/**que** vous acceptiez.*

PRÉAVIS DE GRÈVE

Préparation

CORREL, LE ROI DE LA GLACE, DÉMÉNAGE

Piste 27

A. Vous travaillez dans les bureaux de la société Correl. Il y a un an, le directeur général a réuni les représentants du personnel pour annoncer la délocalisation du site de production et d'une partie des services administratifs. Écoutez-le et, à partir de votre prise de notes, rédigez une note pour informer l'ensemble des employés. Voici des indications pour vous aider à organiser l'information :

- les motivations et les objectifs de ce projet,
- le nouveau site d'implantation,
- les secteurs de l'entreprise affectés,
- les caractéristiques des nouvelles installations,
- l'accessibilité,
- la date de mise en service du nouveau site.

VOS STRATÉGIES

COMMENT NOTER ?

Vous devez écrire vite, d'une part en supprimant les mots inutiles (écrire en style télégraphique), d'autre part en employant des abréviations. Vous pouvez également :

- Nominaliser.
- Supprimer des lettres intermédiaires.
- Supprimer des syllabes finales.
- Employer des symboles.

B. Un journal local publie aujourd'hui un article à propos de l'installation de Correl à Fleury-les-Choux. Les informations de l'article correspondent-elles à celles que le directeur de Correl annonçait il y a un an ? À deux, relevez les différences.

Fleury-les-Choux accueille le roi de la glace

L'entreprise CORREL, spécialisée dans la fabrication et la distribution de crèmes glacées, s'installera prochainement dans notre ville.

Créée en 1990, la société Correl emploie 350 personnes et commercialise ses produits dans toute l'Europe. Selon Jean Kraschevski, le directeur de l'entreprise, le transfert dès le printemps prochain de l'ensemble des activités répond à un besoin urgent de modernisation de tous les secteurs de l'entreprise. Une usine ultramoderne et un parking de 70 places destiné aux cadres de l'entreprise sont déjà construits. Les locaux qui recevront la direction, les services commerciaux et administratifs seront terminés au début du printemps. La mise en service du complexe industriel est prévue début juillet.

Correl est la troisième entreprise, après Le pain gaulois (boulangerie industrielle) et Pharmaplexe (industrie pharmaceutique), à s'installer à Fleury dans la zone d'activités du Plateau.

L'installation d'entreprises dans notre ville permettra de redynamiser l'économie locale. Il est cependant à craindre une augmentation du bruit et des nuisances dues à la circulation routière, d'autant que les travaux de construction de la gare SNCF sont pour le moment suspendus à cause de problèmes techniques. Aussi faut-il s'attendre à des embouteillages quotidiens au centre de Fleury.

Réalisation

À L'ATTENTION DE LA DIRECTION GÉNÉRALE

A. La délocalisation inquiète les employés. En tant que représentant du personnel, vous participez à une réunion pour dresser la liste des inquiétudes et des revendications. Pensez aux conséquences sur la vie professionnelle mais aussi personnelle de chacun et donc aux garanties exigées d'une part et d'autre part aux conséquences d'un refus éventuel de négociation de la direction.

B. Une fois cette liste dressée, rédigez la lettre que vous remettrez à la direction générale de l'entreprise et le communiqué de presse.

VOS STRATÉGIES

EXPOSER SES REVENDICATIONS

Exposez clairement vos revendications. N'oubliez pas de faire une contre-proposition et d'être cordial tout en étant vindicatif. Votre intention est de transmettre les inquiétudes des employés et de demander des précisions et des éclaircissements sur le transfert. Soyez concis et concret, mais restez courtois et soignez la présentation de votre lettre.

9 UNE VIE À RACONTER

Nous allons écrire le récit de vie d'une personne de notre entourage ou d'un personnage célèbre.

amours

mémoire

1. RÉCIT DE VIE

A. Observez cette double page. À votre avis, qu'évoque-t-elle ?

B. Définissez l'expression « récit de vie ».

- *J'imagine qu'un récit de vie, c'est...*

C. Choisissez un moment de votre vie et racontez-le.

LA PAROLE EST À VOUS !

Piste 28

▶ Ecoutez les opinions de la rue.
▶ À votre tour, réagissez.

2. HESSEL, UNE VIE DE COMBAT

A. Après avoir lu l'article sur Stéphane Hessel, expliquez les expressions suivantes.

- les piliers des idéaux d'égalité et de justice
- la justice universelle
- les moments sombres de l'Histoire
- une lueur d'espoir
- l'icône d'une société

B. À deux, complétez vos renseignements sur Stéphane Hessel et élaborez une chronologie des principaux moments de sa vie.

C. Par groupes, imaginez les questions que vous lui auriez posées.

Une vie de combat

Nous aurions tous aimé rencontrer Stéphane Hessel et, micro en main, commencer à interviewer sur sa vie cet homme qui traversa le XXe siècle avec sous le bras trois textes, celui du Conseil national de la Résistance (CNR), celui de la Charte de l'ONU et, enfin, la Déclaration universelle des droits de l'homme. Il les considérait comme les piliers des idéaux d'égalité et de justice qui donnèrent un sens au combat qu'il mena jusqu'à la fin de ses jours.

Nous ne savions rien ou presque de cet homme que nous connûmes déjà « vieux monsieur ». Et pourtant, en l'espace de quelques mois, il devint l'icône d'une société en détresse qui vit dans ses yeux cette lueur d'espoir qu'il ne perdit jamais, même dans les moments les plus sombres de l'Histoire.

Sur scène ou sur un plateau de télé, derrière un pupitre ou la banderole d'une manifestation, jamais il ne cessa de nous donner des leçons de justice universelle forgée sur son expérience de vie.

Aujourd'hui, Hessel n'est plus, mais nous conserverons toutes et tous dans nos esprits ce message d'indignation qu'il sut nous transmettre. À nous maintenant de suivre son appel à l'engagement sans quoi s'indigner n'aurait pas de sens.

La rédaction

Stéphane Hessel

3. RÉCIT DE VIE, LIEU DE MÉMOIRE

A. AVANT L'ÉCOUTE

1. Observez cette affiche. En quoi pouvez-vous la mettre en rapport avec la thématique de cette page ? Pourquoi ?

2. Expliquez les mots ou expressions en gras.

- Les parcours individuels **sont pavés** de difficultés.
- Des récits de **galère**
- Chercher un **boulot**
- Faire quelque chose **sur un coup de tête**
- La **smala**
- Avoir des **tares**
- Être **basanée**
- **Puiser** dans une culture
- Préparer son **trousseau**

B. PENDANT L'ÉCOUTE

Piste 29

Écoutez l'interview et prenez des notes.

C. APRÈS L'ÉCOUTE

1. Par groupes, reconstituez le parcours de Djamila à partir de vos notes.

2. Si vous pouviez lui poser d'autres questions, lesquelles lui poseriez-vous ?

3. À partir des documents de cette activité, expliquez en quoi « les récits de vie sont autant de lieux de mémoire » pour les immigrés et l'histoire de l'immigration d'un pays.

POUR ALLER PLUS LOIN

- Cité nationale de l'histoire et de l'immigration
- Le métier d'écrivain public
- Les ateliers d'écriture

4. RETISSER SA VIE

A. AVANT LA LECTURE

1. Lisez le titre de l'activité. Comment comprenez-vous l'expression ?

2. À partir de ces mots, imaginez le contenu de l'article.

biographe | hôpital | bouquin à papi | thérapie

À l'hôpital de Chartres, des « biographies thérapeutiques » pour retisser sa vie

Monsieur Gilles promène à petits pas sa perfusion à roulettes dans le large couloir, entre dans ce qui ressemble à une chambre d'hôpital, s'assoit, réajuste ses bretelles et braque un regard impatient vers son interlocutrice. Au portemanteau, une blouse blanche, et face à lui, une biographe. Point de blouse ni d'examens médicaux, juste un stylo et un grand cahier bleu. Point de maladie non plus, ce n'est pas le sujet. M. Gilles, 68 ans, « papi trois fois », est là pour son « petit bouquin », comme il l'appelle. Tous les quatorze jours, c'est le même rituel. Une fois lancée la séance de chimiothérapie, il file à son tête-à-tête avec Valéria, pour ajouter quelques pages de plus à son récit de vie, et faire grandir le petit bouquin. Depuis 2007, le service de cancérologie du centre hospitalier Louis-Pasteur de Chartres propose aux patients en situation non curative d'écrire l'histoire de leur vie, récit à une voix, celle du malade, et à deux mains, celles de Valéria Milewski, biographe. Une démarche qui tient en un proverbe, griffonné sur le tableau de son bureau : « Quand tu ne sais pas où tu vas, regarde d'où tu viens. » Le fil conducteur d'un complément à la médecine allopathique : « Bâtir avec ces personnes morcelées un tuteur sur lequel elles peuvent se reposer, au moment où les circonstances de leur vie font émerger un fort besoin de spiritualité, de transmission, de bilan », témoigne la biographe.

« LE BOUQUIN À PAPI »

Dans une autre vie, Valéria Milewski, 45 ans, longs cheveux noirs et port altier, écrivait pour le théâtre. Des drames. Lassée, elle s'inscrit comme écrivain public en 2005 afin de poursuivre l'idée qui lui trotte dans la tête. C'est deux ans plus tard qu'elle vient présenter son projet à Louis-Pasteur. Le pacte est scellé : « On n'a pas d'argent mais on le fait ! » Quarante livres plus tard, le pacte tient toujours. La biographe est aujourd'hui en CDI, l'hôpital finance la moitié de son salaire, et l'association du service d'oncologie complète.

Il est midi moins le quart, la biographe propose de clore la séance. M. Gilles fait la sourde oreille et poursuit, bavard, la discussion. À l'ordre du jour, pêle-mêle, son permis poids lourd, parce que ses « petits-enfants doivent savoir que papi avait toujours ses 12 points », les travaux dans le mobile home qu'il ne veut pas se resoudre à quitter, où les tracas causés par son traitement lorsqu'il se met à l'ouvrage, lui qui continue d'enfiler son bleu de carrossier-mécanicien, et travaille encore « à 20 % ». Sans entamer la bienveillance rieuse de la biographe, la séance s'étire, comme pour faire durer le plaisir et retarder le retour en salle de soins. Deux ans et demi qu'il « s'est mis au travail. On a démarré doucement, puis amplifié, je retrouve des détails oubliés », explique-t-il. Des détails pour les suivants, ses enfants et ses petits-enfants. « Ils ne connaissent rien de moi, je n'ai pas toujours été présent, j'ai beaucoup travaillé. J'explique comment je m'y suis pris dans la vie, comment j'ai fait pour m'en sortir. » Une sorte de « recueil de bonnes idées... et de mauvaises aussi ! Ça sera "le bouquin à papi" », sourit-il.

« CE N'EST PAS UN TESTAMENT »

Ce n'est pas une dernière confession, pas une psychanalyse non plus. Valéria [ ] décrit cette fois où, discutant ensemble d'une patiente, psychologue et biographe du service crurent parler de personnes distinctes : « la patiente avait confié à la première une part d'elle-même plus sombre, et à la seconde une autre image, qu'elle avait choisie », car transmettre son histoire c'est « se réarranger avec soi-même ».

Pour le corps médical, qui se bat pour pérenniser l'expérience, la biographie « thérapeutique » a ses vertus. « Cela change le regard de la médecine, la remet à sa place », décrit le docteur Solub. « On parle d'un sujet au terme de sa vie et plus seulement d'un corps en fin de vie. » Les récits demeurent confidentiels, ils ne les lisent pas. « Ça leur appartient, note Chantal Thaluet, cadre infirmier. Ne pas connaître leur histoire, c'est rester objectif dans notre écoute. »

Source : http://benjaminleclercq.blog.lemonde.fr, Benjamin Leclercq, le 14 janvier 2013.

B. LE TEXTE À LA LOUPE

1. Retrouvez dans l'article les équivalents des mots suivants et expressions.

- il court à son entretien
- ces gens à la vie brisée
- l'idée qu'elle a à l'esprit
- M. Gilles ne veut rien entendre
- les problèmes
- dans le désordre

2. Expliquez la devise de Valéria Milewski.

3. Pourquoi psychologue et biographe ont-elles cru qu'elles parlaient de « personnes distinctes » quand elles parlaient d'une patiente ?

C. APRÈS LA LECTURE

1. À deux, à partir de vos notes de lecture, faites le portrait de M. Gilles et de Valéria.

2. Connaissez-vous des exemples semblables à celui décrit dans l'article ?

5. UNE VIE SINGULIÈRE

A. Lisez ce témoignage et transformez-le en récit. Pensez à combiner les différents temps.

[...] Je suis né en 1949 en Argentine, à l'hôpital italien de la capitale. C'était gratuit pour les familles pauvres. Mes parents étaient des immigrants espagnols. Ils sont venus d'Espagne en 1915.

Dans mon enfance, j'ai été heureux même si j'étais pauvre. Pendant les premières années de collège, nous avons vécu dans un quartier pauvre. Heureusement, j'avais un groupe de bons amis. Avec mes frères, nous nous souvenons de ce temps-là avec mélancolie.

Mes parents sont morts en 1992. Ils ont été enterrés dans le cimetière familial, à Madrid. Ma sœur a alors décidé de rester vivre à Madrid pour veiller sur eux. C'est maintenant ses enfants qui envisagent de venir s'installer à Buenos Aires ! Mes parents ont quitté l'Espagne au début du XXe siècle et ce sont mes neveux qui vont fermer la boucle en débarquant en Amérique latine un siècle plus tard !

Témoignage de Pablo Morán Padilla

- Pablo Morán Padilla naquit en...

B. Quelles transformations avez-vous réalisées entre le témoignage et le récit ? Quels temps du passé avez-vous utilisés ?

6. SOUVENIRS, SOUVENIRS

Piste 30

A. Écoutez ces personnes évoquer des anecdotes. Rapportez-les.

1. Elles évoquent un jour où...

2. Ils évoquent un jour où...

3. Ils évoquent la fois où...

B. À deux, vous allez vous inventer des souvenirs communs. Lisez ces amorces de phrases et recréez les six histoires dans leurs grandes lignes.

Tu te rappelles le jour où...

1. ...on est restés bloqués dans un ascenseur ?

2. ...on s'est fait voler nos vêtements sur la plage ?

3. ...tu as mis de la colle sur la chaise du prof ?

4. ...on a pris le train sans acheter de billets ?

5. ...Claude nous a invités dans la maison de campagne de ses parents ?

6. ...nous sommes partis en week-end à Nice sans argent ?

C. Maintenant, l'un de vous lancera un dé, et en fonction du numéro obtenu, vous improviserez devant toute la classe ce « souvenir commun ».

LE PASSÉ SIMPLE, TEMPS DU RÉCIT

Le passé simple est le temps du récit. Il situe une action dans un passé révolu, sans lien avec la situation présente.

	1er groupe	2e groupe	3e groupe	
	CHANTER (chant-)	FINIR (fin-)	PRENDRE (pr-)	SAVOIR (s-)
j/je	-ai	-is	-is	-us
tu	-as	-is	-is	-us
il/elle	-a	-it	-it	-ut
nous	-âmes	-îmes	-îmes	-ûmes
vous	-âtes	-îtes	-îtes	-ûtes
ils/elles	-èrent	-irent	-irent	-urent

*Pierre Lescure **naquit** dans le nord de la France.*

La plupart des verbes forment leur passé simple sur le radical du participe passé.

LE PLUS-QUE-PARFAIT

Le plus-que-parfait est un temps composé qui indique qu'une action se déroule avant le moment où l'on parle et avant une autre action passée. Pour obtenir le plus-que-parfait, il faut prendre l'auxiliaire être ou avoir à l'imparfait avec le participe passé du verbe à conjuguer.

	1er groupe	2e groupe	3e groupe
	CHANTER	FINIR	VIVRE
j/je	avais chanté	avais fini	avais vécu
tu	avais chanté	avais fini	avais vécu
il/elle	avait chanté	avait fini	avait vécu
nous	avions chanté	avions fini	avions vécu
vous	aviez chanté	aviez fini	aviez vécu
ils/elles	avaient chanté	avaient fini	avaient vécu

*Il **avait eu** un accident, et à cause de cela il n'**avait** pas **pu** venir.*
*Elle ne le savait pas, parce que personne ne le lui **avait dit**.*

7. ÉVITEZ LES RÉPÉTITIONS !

À deux, remplacez le mot ou l'expression en caractères gras. Vous pouvez utiliser des substituts lexicaux ou grammaticaux.

1. Le clou de girofle est originaire d'Indonésie. **Le clou de girofle** au goût très prononcé s'utilise pour parfumer de nombreux plats.
2. Certains affirment que la télévision engendre la violence tandis que d'autres croient que **la télévision** est un magnifique instrument d'apprentissage.
3. Ma voiture est en panne alors j'ai pris **la voiture** de mon frère.
4. Les Espagnols ont l'un des taux de natalité les plus bas d'Europe. Le **taux de natalité** inquiète les autorités qui ont décidé de développer les aides à la famille.
5. J'ai encore perdu mon parapluie, alors Loulou m'a prêté son **parapluie**.
6. Je connais un bon moyen pour enlever les taches de gras. C'est un truc que j'ai entendu dans une émission de télé. Il suffit de mettre du dentifrice sur la **tache**...
7. Alexander Flemming a découvert la pénicilline, la **pénicilline** a permis de sauver des millions de vies.
8. Julia déteste prendre le train parce que **Julia** pense que c'est dangereux !

8. PRÊT À L'EMPLOI

À deux, construisez toutes les formules possibles en combinant un élément de chaque colonne. Quelles phrases expriment : la gratitude, des regrets, des souhaits, la satisfaction (ou la joie), la mélancolie (ou la nostalgie) ?

1. Je suis touchée que
2. J'aurais tant aimé que
3. Je regretterai
4. Comment pourrais-je oublier
5. J'ai beaucoup apprécié
6. Je suis ravi(e) de
7. C'est avec une profonde tristesse que
8. C'est avec beaucoup de plaisir que
9. Merci infiniment de/d'
10. Comment vous remercier pour
11. J'espère que

A. ce que vous avez fait.
B. votre gentillesse.
C. ce qui s'est passé entre nous.
D. nos sorties du jeudi soir.
E. nous réalisions ce projet.
F. te revoir.
G. travailler avec vous.
H. tu te sois souvenu(e) de mon anniversaire.
I. votre attention.
J. vous veniez avec moi.
K. être venus.
L. nous nous reverrons.
M. j'accepte votre invitation.
N. je vous dis « adieu » !

ÉVITER LES RÉPÉTITIONS

Les substituts lexicaux

Pour éviter les répétitions, on a recours à des synonymes ou des noms génériques. Ils sont souvent introduits par les démonstratifs (**ce, cet, cette, ces**).

*Il y a un problème, mais **cette** complication va vite être résolue.*

Ce substitut peut aussi être une expression imagée.

***L'équipe de France** joue contre la Suisse. **Les Bleus** ont-ils des possibilités... ?*

Une phrase complète peut être reprise par un nom.

***La glace** fond aux pôles. **Ce phénomène** inquiète les scientifiques.*

Les substituts grammaticaux

▸ Les pronoms personnels **il/s** et **elle/s**

*J'ai vu **Marine et Anne**. **Elles** partent en Erasmus à Rome.*

▸ **Celui-ci, celle-ci, ceux-ci, celles-ci**

Ils remplacent le dernier mot de la phrase précédente.

*Nathalie passe souvent le samedi avec sa sœur. Comme **celle-ci** (= sa sœur) habite assez loin, **elle** (= Nathalie) rentre tard le soir.*

▸ **Celui de..., celle de..., ceux de..., celles de...**

● *Tu connais ces deux types ?*
○ ***Celui de** gauche, c'est Tom ; l'autre, c'est Paul.*

RÉCIT DE VIE

Préparation

INTERVIEW

A. Vous allez choisir la personne ou le personnage que vous allez interviewer pour écrire un extrait du récit de sa vie.

B. Préparez une série de questions. Prévoyez différentes options selons les réponses obtenues. Cette carte heuristique peut vous inspirer.

VOS STRATÉGIES

PRÉPARER UNE INTERVIEW
Prenez des notes mais pensez aussi à enregistrer l'entretien.

Faites des photos et demandez-en éventuellement à la personne interviewée.

Choisissez le support de diffusion de l'extrait (diaporama/panneau mural/cahier/blog...).

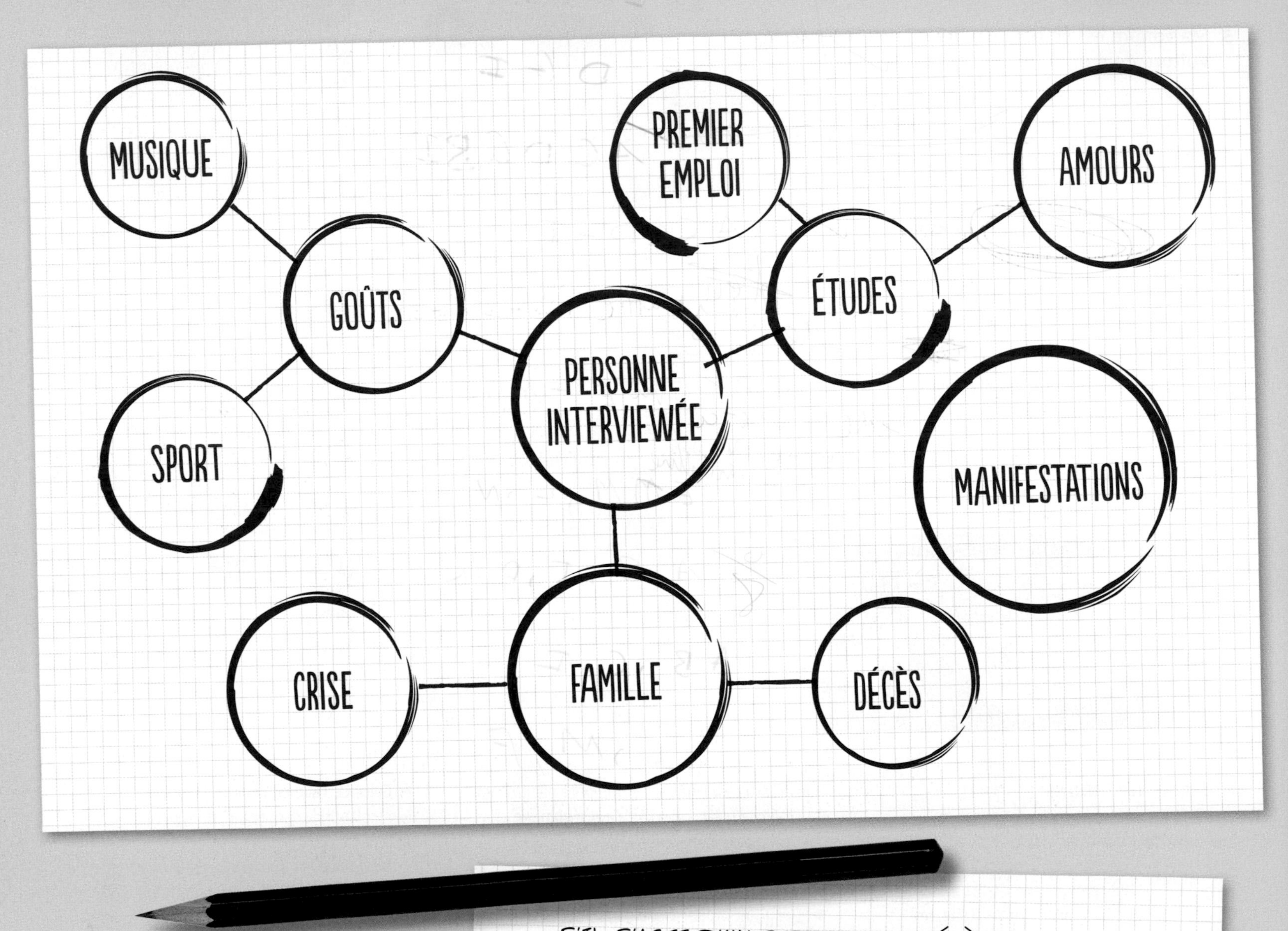

S'IL S'AGIT D'UN PERSONNAGE CÉLÈBRE :
- cherchez les informations disponibles sur la Toile,
- sélectionnez une étape de sa vie,
- envisagez un résumé pour les autres étapes.

S'IL S'AGIT D'UNE PERSONNE DE VOTRE ENTOURAGE : pensez à quelqu'un de votre entourage (famille, établissement, travail) ou à quelqu'un qui réalise une activité originale autour de vous.

Réalisation

LA RÉDACTION

A. À partir de vos notes et des différents documents obtenus sur la personne retenue, organisez le plan de votre récit.

B. Rédigez l'extrait de ce récit.

C. Présentez-le au reste de la classe sur le support choisi.

VOS STRATÉGIES

RÉDIGER UN RÉCIT DE VIE

Vous devrez faire preuve d'imagination et d'un certain sens de l'improvisation pour bâtir une histoire cohérente sur la vie de votre personnage.

Vous devez organiser les étapes de la vie de façon chronologique et/ou thématique.

Pensez à resituer le récit dans son contexte historique et à utiliser les temps du passé.

Chaque membre du groupe peut en rédiger une partie. Vous rassemblerez ensuite ces différentes parties et harmoniserez le style du texte tout en le corrigeant.

POUR ALLER PLUS LOIN

- Le récit de vie dans les sciences sociales
- Les 100 mots de la sociologie : le récit de vie

IL ÉTAIT UNE FOIS… LA LANGUE FRANÇAISE

Tout comme les êtres vivants, une langue naît, se développe et finit par mourir. Pour le moment, le français est une langue bel et bien vivante mais qui n'a cessé d'évoluer depuis sa naissance. Mais au fait, connaissez-vous son histoire ?

Il y a 2000 ans, il y avait un territoire appelé la Gaule. Ce territoire était habité par des peuples celtes, comme les Gaulois, et dont la langue, dans toutes ses variantes, allait progressivement être influencée par le latin que parlaient les conquérants romains. Vers la fin du IVe siècle, le contact entre ces langues et le latin allait donner naissance au gallo-romain.

À partir du Ve siècle, le gallo-romain subit une forte influence des envahisseurs germaniques, les Francs (qui parlaient le francique). Cependant, l'aristocratie franque, devenue la classe dominante pendant presque quatre siècles, apprend le gallo-romain et est donc bilingue. Jusqu'au IXe siècle, la langue a continué à évoluer: c'est l'apparition du roman. On estime généralement que le premier texte en roman (un proto-français) remonte à 842, il s'intitule les *Serments de Strasbourg*. Deux cents ans avant la *Chanson de Roland* ! Ce roman n'est évidemment pas le même partout et ce territoire qui, petit à petit, allait devenir la France, est divisé en deux grands groupes linguistiques : celui des langues d'oïl au nord d'une ligne imaginaire qui relierait la Charente aux Alpes et celui des langues d'oc au sud de cette même ligne. Sans compter ces langues qui ne font partie d'aucune de ces familles comme le breton en péninsule armorique. Cette séparation géographique entre langues d'oïl et langues d'oc n'a d'ailleurs pas complètement disparu dans le français d'aujourd'hui, notamment si on pense aux différences d'accents entre le sud et le nord. Mais le français de cette époque n'est qu'une variante de ces langues rustiques que Charlemagne combattit en faveur d'un retour au latin. Vain combat comme on le sait aujourd'hui ! Pendant le Moyen Âge, même si le français n'est pas une langue officiellement imposée, il est de plus en plus utilisé comme langue de communication par la cour du roi de France. Au XIIe siècle, on commence à utiliser le français à l'écrit, particulièrement dans l'administration, qui l'emploie parallèlement au latin. Les premières œuvres littéraires en vieux français datent du XIIe siècle, parmi lesquelles on retrouve *Le Roman de Renart* que racontaient les jongleurs sur la place, la population étant le plus souvent illettrée.

LE FRANÇAIS, LANGUE OFFICIELLE

C'est finalement sous le règne de François Ier qu'est publié un document faisant du français la langue officielle de l'administration royale : il s'agit de l'ordonnance de Villers-Cotterêts. Ce document indiquait que « *tous arretz ensemble toutes aultres procedeures, soient de nous cours souveraines ou aultres subalternes et inferieures, soient de registres, enquestes, contractz, commisions, sentences, testamens et aultres quelzconques actes et exploictz de justice ou qui en dependent, soient prononcez, enregistrez et delivrez aux parties en langage maternel francoys et non aultrement.* » Ce texte ne visait pas explicitement les différents parlers du royaume mais prétendait surtout rempla-

FRANÇAIS ÉCRIT ET FRANÇAIS ORAL

Si on regarde le parcours suivi par le français au cours des siècles, on comprend mieux aussi comment on trouve aujourd'hui autant de différences entre le français écrit et le français oral. Alors que les habitants du royaume puis de la République écrivent depuis des siècles en français, indépendamment des évolutions subies, ils ont aussi, jusqu'à une date très récente, continué à parler et parfois écrire une autre langue, qu'elle soit d'oïl, d'oc, bretonne, germanique ou basque. Un bilinguisme qui a contribué à ce que le français oral aille dans une direction et le français écrit dans une autre, et c'est aussi ce qui fait la richesse de la langue française telle que nous la connaissons aujourd'hui.

Les Serments de Strasbourg

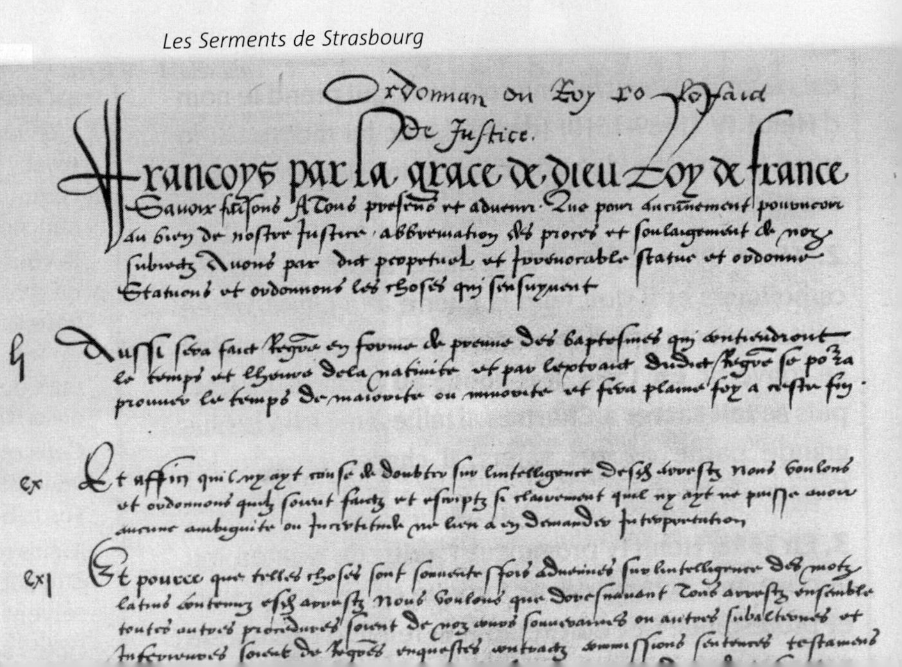

Francoys par la grace de dieu Roy de france

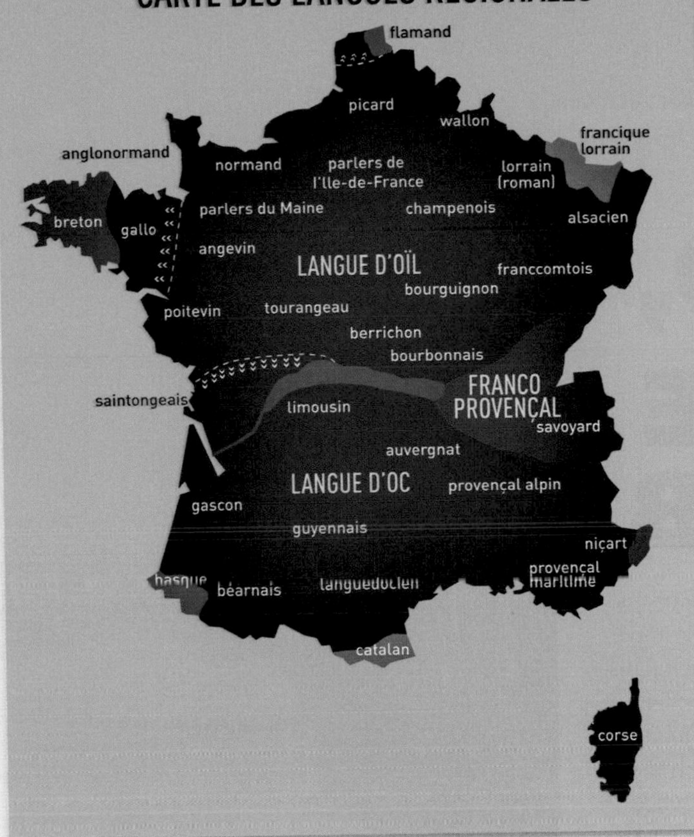

cer le latin dans les documents officiels. La diffusion de la langue de la cour est renforcée à la même époque par l'essor de l'imprimerie. Les textes en français se multiplient.

L'ACADÉMIE, GARDIENNE DE LA LANGUE

Le français franchit une nouvelle étape en 1635. Le cardinal de Richelieu, alors ministre principal de Louis XIII, grand défenseur des arts mais aussi dans un souci de cohésion de l'État, dote le royaume d'une institution destinée à veiller à l'usage de la langue : l'Académie française dont le but est de *« donner des règles certaines [au français] »*. Entre le XVIIe et le XVIIIe siècle, le français connaît une période de diffusion internationale : il devient langue de vulgarisation scientifique en France et en Europe, manifestant son importance par la quantité et la qualité des publications, traductions ou journaux.

Devenu aussi langue de communication internationale, c'est un symbole de supériorité sociale : connaître le français, c'est faire preuve de modernisme, d'instruction et de culture parmi les classes dominantes européennes.

ABOLIR LES « PATOIS »

C'est à l'époque de la Révolution française que le français conquiert véritablement la place qu'il occupe aujourd'hui car les révolutionnaires comme Talleyrand et surtout l'abbé Grégoire défendent l'usage d'une seule et unique langue. Ce dernier préconisera même l'abolition des « patois » car, pour lui, les Français ne devaient plus « avoir qu'une même langue ». C'est l'association pour la première fois dans l'histoire de la notion de langue et de nation. Sans pour autant que le bilinguisme de la population ne recule, on parlait habituellement sa langue et le français. Le service militaire ou l'école, obligatoire dès la fin du XIXe siècle, contribueront à la diffusion du français. Le déclin des autres langues s'accélère. Finalement, c'est après la deuxième guerre mondiale et l'arrivée dans les foyers d'abord de la radio puis des postes de télévision que le français est véritablement devenu la langue de tous, en ville et dans les campagnes.

LES AUTRES LANGUES DE FRANCE

Le français est la seule langue officielle en France mais il existe beaucoup d'autres langues parlées dans l'Hexagone (voir carte des langues régionales). Celles-ci bénéficient d'un certain soutien de la part de l'État, notamment dans l'édition ou les activités culturelles. Certaines de ces langues, comme le breton ou l'alsacien, peuvent être apprises dans le système scolaire.

REPÈRES

842
Les Serments de Strasbourg.

1080
La Chanson de Roland.

1110-1250
Le Roman de Renart.

1539
Ordonnance de Villers-Cotterêts.

1549
La Deffence et Illustration de la Langue Francoyse.

1606
Thresor de la langue françoyse, tant ancienne que moderne.

1635
Création de l'Académie française.

1713
Traité d'Utrecht (français langue de la diplomatie).

1832
Obligation de connaître l'orthographe française pour accéder aux emplois publics.

1881-86
Les lois de Jules Ferry organisent l'enseignement gratuit, obligatoire et laïque.

1988 (20 mars)
La Journée internationale de la Francophonie est instituée.

1992
La Constitution déclare que la langue de la République est le français.

A. À partir de tout ce que vous savez sur la langue française, écrivez un article sur :

- les rapports qu'entretiennent les Français avec leur langue. (Vous donnerez aussi votre avis sur la question).
- la place du français dans le monde (Québec, Afrique...).

B. Recherchez sur la Toile des renseignements sur l'une des autres langues de France et présentez-les au reste de la classe.

À SÃO PAULO, LE BILAN D'UNE VILLE SANS PUB

En 2006, le maire de São Paulo, Gilberto Kassab, fait voter la loi « Ville propre » qui interdit tout affichage publicitaire dans l'espace public. Son objectif ? Lutter contre la « pollution visuelle », explique *Good*. Dès l'entrée en vigueur de cette loi en 2007, les panneaux publicitaires sont retirés et le démantèlement s'accompagne parfois d'amendes pour les propriétaires récalcitrants.

LUTTER CONTRE LA « POLLUTION VISUELLE »

Cinq ans après cette mesure drastique, une enquête en 2011 indique que 70 % des habitants de São Paulo approuvent la mesure, estimant qu'elle a été « bénéfique ». « Vous ne pouviez même pas réaliser à quoi ressemblait l'architecture des vieux immeubles, parce qu'ils étaient couverts de néons, de logos et de messages commerciaux », explique le journaliste Vinicius Galvao, sur les ondes de la radio américaine NPR. Mais, selon Dalton Silvano, conseiller municipal de São Paulo, cette mesure a été néfaste pour le monde de la communication, rapporte *Owni*. « Cela a eu un effet terrible, aboutissant à la fermeture d'entreprises de l'industrie ainsi qu'au renvoi de milliers de travailleurs, directement ou indirectement impliqués dans ce média », assure l'élu.

UNE GUÉRILLA MARKETING

De leur côté, les annonceurs publicitaires ont dû revoir leur stratégie de communication. « Les sociétés doivent trouver une manière qui leur est propre pour promouvoir leurs produits et leurs marques dans la rue », a affirmé Lalai Luna, co-fondateur de l'agence de publicité Remix au *Financial Times* (inscription nécessaire pour consulter l'article). « São Paulo a commencé à avoir beaucoup plus de guérilla marketing et cela a donné beaucoup de pouvoir aux campagnes médias en ligne et sur les réseaux sociaux comme nouveau moyen d'interagir avec les gens ».

CELA PEUT-IL ARRIVER À PARIS ?

Un nouveau plan local pour la publicité a été adopté fin juin 2011 pour réduire la densité publicitaire sur le territoire parisien. Il introduit de nouvelles règles restrictives comme la réduction des formats d'affichage, la limitation de la publicité sur les véhicules ou l'interdiction d'implanter des panneaux aux abords des établissements scolaires. Pourtant, sur ce dernier point, « cette mesure est contestable juridiquement si elle est inscrite dans le règlement local de publicité de Paris, qui n'a pas vocation de viser des catégories particulières de la population », avait prévenu Stéphane Dottelonde, président de l'Union de la publicité extérieure.

Les afficheurs et publicitaires relèvent une « inégalité de traitement entre les médias » et rappellent que le gouvernement a renoncé à interdire la publicité alimentaire dans les programmes télé pour enfants, comme l'avait souligné *Le Figaro*.

Source : *Slate.fr*, 29/12/2011

LA GUÉRILLA MARKETING

La guérilla marketing, terme apparu à la fin du XXe siècle, est devenue particulièrement virulente ces dernières années avec le développement d'Internet et plus encore des réseaux sociaux sur la Toile.

En quoi consiste la guérilla marketing ?
C'est faire beaucoup de bruit avec peu de moyens, attirer l'attention avec des actions surprenantes et originales. Utilisée au début par les petites entreprises, cette nouvelle approche du marketing fait désormais pleinement partie des stratégies publicitaires de grandes sociétés qui n'hésitent pas à y avoir recours. La technique est simple : il s'agit de chercher à rallier les masses avec un message fédérateur.

Comment mobiliser les foules ?
Pour mobiliser les foules, donc les consommateurs, les spécialistes en guérilla marketing s'appuient sur des techniques telles que le marketing de rue et le marketing viral. Dans les deux cas, il s'agit d'actions souvent insolites ou spectaculaires pour promouvoir un produit, un service ou un événement. Si l'effet recherché est réussi, on peut facilement imaginer comment les réseaux sociaux se chargeront d'en faire la diffusion. De cette façon, les personnes en parlent et le message est ainsi colporté... à un moindre coût pour les entreprises. Même si souvent ces messages finissent par devenir envahissants !

REPÈRES

Antiquité
Des fresques vantant les mérites des hommes politiques ou annonçant un combat de gladiateurs.

Moyen Âge
Les crieurs publics annoncent les ordonnances royales.

1539
Les ordonnances royales seront accrochées au mur à la vue de tous.

1789
Des affiches sont imprimées et circulent dans la ville.

1870
L'extension des réseaux de chemin de fer, l'ouverture des grands magasins et le fort exode rural transforment les villes. Des catalogues de vente par correspondance font leur apparition pour séduire ces nouveaux citadins.

1880
Apparition de l'affichomanie. Les citoyens collectionnent les affiches de pub. Certaines sont élaborées par des artistes comme Toulouse-Lautrec.

1970
Les médias analysent les affiches.

1980
La photographie prend une place importante dans la pub par affiche.

A. Comment comprenez-vous l'expression « pollution visuelle » ?

B. Connaissez-vous des actions de guérilla marketing ? Donnez des exemples.

C. Préparez vos arguments pour participer à un débat en classe sur le pour et le contre d'une ville sans pub.

LA BIOGRAPHIE MEURT DE SON SUCCÈS

Depuis quelques années, un genre a pratiquement disparu de notre paysage littéraire sans même que nul n'eût songé à en célébrer les funérailles : la biographie. Son âge d'or n'est plus évoqué que sur le mode de la nostalgie tant par les éditeurs et les libraires que par les auteurs eux-mêmes. Il y a dix ou vingt ans, il était courant de voir deux ou trois biographies trôner chaque semaine dans les listes des meilleures ventes de l'automne.

On se consolera en songeant que le phénomène n'est pas exclusivement français. En Angleterre aussi alors que c'est la terre promise de la biographie. Michael Holroyd, l'un des plus célèbres biographes du royaume avec Richard Holmes, Richard Ellman et Hilary Spurling, vient de faire ses adieux publics à ce genre littéraire et historique qui lui doit tant. [...] Il s'est dit persuadé que le public trouvait ce type de livre « démodé » ; même l'enquêteur en lui a perdu le goût de la recherche « maintenant que tout se fait sur Internet, sans odeur et sans saveur » alors qu'autrefois la découverte de lettres dans leur jus le remplissait de bonheur ; selon lui, éditeurs et lecteurs veulent des livres plus courts, ce qui va à l'encontre de la prétention d'exhaustivité des biographes ; de plus, il accuse la télévision de pousser le public vers des ouvrages faciles, et les historiens universitaires de favoriser désormais des biographies de type sociologique dans laquelle le héros n'est qu'un spécimen représentatif d'une catégorie.

Ce n'est pas tant le genre que l'époque qui a trop tiré sur la corde. En « peoplisant » à outrance la vie politique, artistique et culturelle, les médias ont tué le goût du public pour la biographie, longtemps terre d'élection du « misérable tas de secrets » cher à Malraux. Le mystère d'une vie en a été galvaudé jusqu'à en détourner le lecteur. Il se pourrait même que l'on assiste à un retour de bâton et qu'à la dictature de la transparence succède un certain respect pour la vie privée ; du moins, s'agissant des biographies d'écrivains, cessera-t-on d'éclairer les énigmes de la création par la trivialité de l'anecdote : « On ignore généralement que William Shakespeare, le dimanche, reprenait volontiers une part de plum-pudding. Et ceci, n'est-ce pas, explique bien des choses » relève le romancier Éric Chevillard sur son blog *L'autofictif*.

La biographie, comme la psychanalyse, meurt de son triomphe : elles prospèrent partout désormais au sein du public, l'une dans l'indiscrétion générale, l'autre dans le langage commun. Il y a comme un renoncement à l'esprit d'un certain XXe siècle dans cet adieu à un genre, même si ce n'est qu'un au revoir. Juste le temps pour l'époque de se purger de sa vulgarité avant que la biographie nous revienne en majesté, enfin renouvelée.

Pierre Assouline

Source : *La République des livres*, Pierre Assouline, 28/08/11

SONDAGE

La biographie est morte ! Vive la biographie ! Alors qu'éditeurs et journalistes annoncent la fin du récit biographique, un sondage du Figaro littéraire-OpinionWay de septembre 2009, affirme qu'un Français sur trois a déjà songé à écrire un livre. Et 3 % ont déjà sauté le pas, c'est-à-dire plus de 1,4 million de Français âgés de 18 ans et plus. Selon l'enquête, la première motivation de cette passion pour l'écriture est d'« entretenir la mémoire/l'histoire de sa famille » et « l'envie de raconter son histoire, son expérience ».

A. Lisez cet article et retrouvez les arguments avancés par Pierre Assouline pour justifier que « la biographie meurt de son succès ».

B. Par groupes, discutez de cet article. Partagez-vous le point de vue de l'auteur ?

C. D'après l'encadré, un Français sur trois a déjà songé à écrire un livre, et vous ?

D. De qui aimeriez-vous lire la biographie ? Pourquoi ?

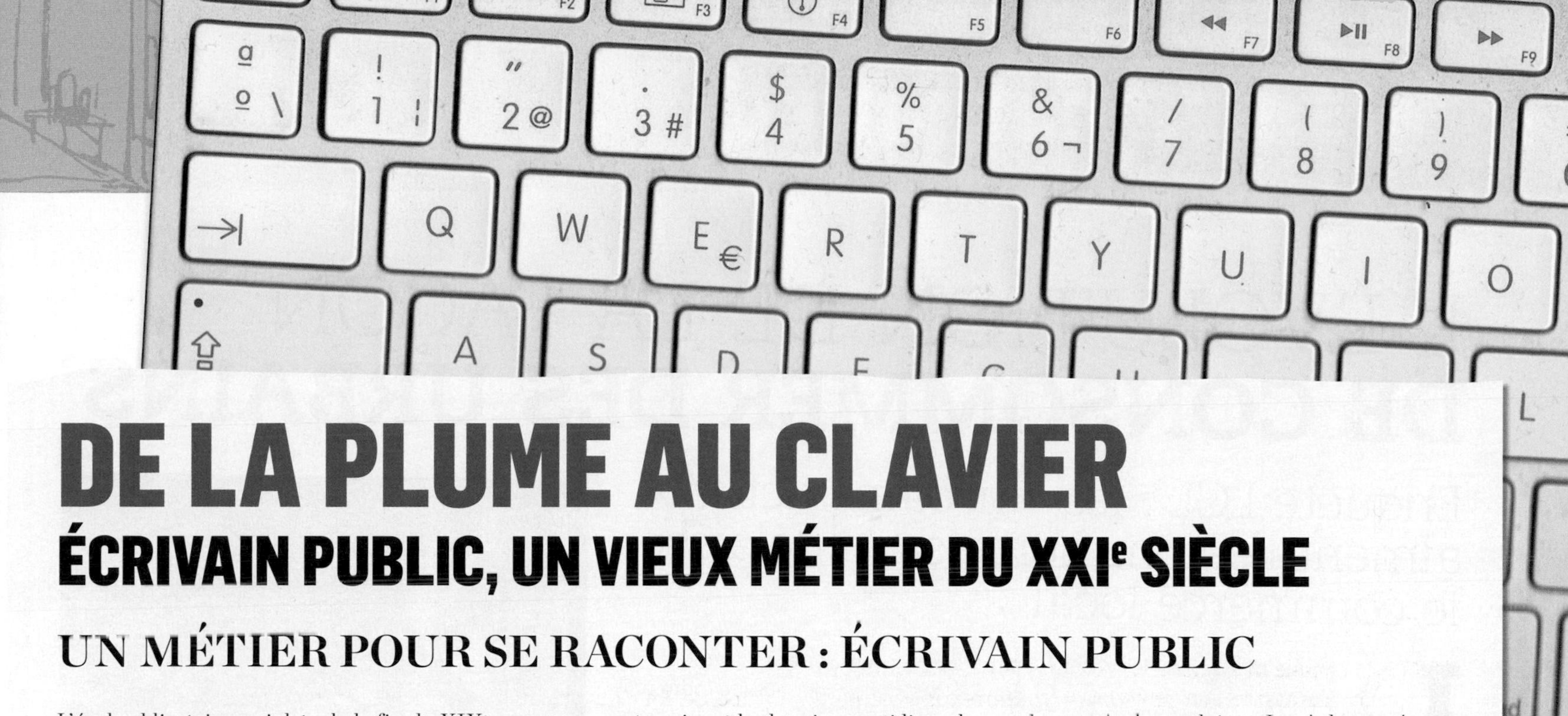

DE LA PLUME AU CLAVIER

ÉCRIVAIN PUBLIC, UN VIEUX MÉTIER DU XXIe SIÈCLE

UN MÉTIER POUR SE RACONTER : ÉCRIVAIN PUBLIC

L'école obligatoire, qui date de la fin du XIXe, en rendant les populations lettrées, aurait tué le métier d'écrivain public. Héritier des scribes de l'Antiquité et des clercs médiévaux, l'écrivain public est pourtant de retour en ce début de XXIe siècle. On avait dit que la société moderne délaissait l'écrit ; or, nous n'avons sans doute jamais eu autant besoin d'écrire ni jamais eu autant besoin d'aide pour le faire, et le faire bien. D'où la réapparition de cette figure qu'on croyait disparue à jamais, celle de l'écrivain public.

En quoi consiste ce vieux métier que choisissent d'exercer de plus en plus de professionnels de la plume (ou du clavier) ? Pour employer un terme propre à la typographie, l'écrivain public est ce trait d'union entre un particulier ou une entreprise et les besoins quotidiens de la vie d'aujourd'hui, besoins sociaux, professionnels ou administratifs. Un écrivain public doit savoir écouter et faire preuve de beaucoup d'empathie pour devenir ce guide ou cet accompagnateur dans tout type de démarche : courriers personnels, biographies/récits de vie, faire-parts (naissance, baptême, décès...), correspondances (privées/professionnelles), CV/lettres de motivation, courriers administratifs, traductions, corrections...

Un écrivain public est donc là pour aider à trouver les mots quand ceux-ci manquent ou quand le temps manque pour les trouver. Il facilite aussi la communication écrite avec l'administration : Sécurité sociale, allocations familiales, dossier médical, services des impôts, du permis de conduire... La règle numéro un de l'écrivain public est de s'adapter aux délais, horaires et contraintes de sa clientèle. Par définition, ses horaires sont donc élastiques et aléatoires.

Le maniement des technologies modernes de communication écrite et de documentation est évidemment indispensable à ce métier, de même qu'une bonne connaissance des instances administratives, sociales et judiciaires.

Qu'il travaille depuis chez lui ou qu'il se rende chez le client, l'écrivain public est donc redevenu une figure de notre paysage quotidien au service d'une société de la communication qui cherche ses mots.

Les grandes familles du récit de vie :

- La transcription de témoignage oral.
- La biographie (discours de louange, vies de personnes célèbres, hagiographies).
- L'autobiographie (traditionnelle, journal intime, simulée, mémoires, chronique, romancée).

A. Connaissez-vous d'autres vieux métiers qui, comme celui d'écrivain public, sont de retour ?

B. Il existe beaucoup de métiers et de professions « hors normes ». Vous en connaissez certains ? Décrivez-les.

C. Vous connaissez certainement des exemples pour illustrer ces grandes familles du récit de vie. Lesquels ? À deux, choisissez-en un et présentez-le au reste de la classe.

L'ÉVOLUTION DE LA FAÇON DE CONSOMMER DES URBAINS

Enquête LCL : les « urbains actifs » aiment l'e-commerce sans délaisser le commerce local

La banque LCL dévoile les enseignements de son 3e Observatoire « LCL en Ville» qui analyse les comportements d'achat des urbains dans les commerces de ville et sur Internet. Réalisé par OpinionWay, l'Observatoire « LCL en Ville » révèle les pratiques et préférences des « urbains » pour deux canaux de distribution : les commerces de proximité et le e-commerce. Cette enquête de la banque LCL indique que 99% des « actifs urbains » ont déjà utilisé le Net pour faire leurs achats. Mais seul un gros tiers (37 % précisément) s'en sert régulièrement pour tous types de produits et services. La majorité préférant avoir recours au e-commerce pour des achats ponctuels et «plus ciblés».

Si le commerce de ville reste pour sa part le premier canal utilisé pour la plupart des catégories de produits il se voit donc désormais supplanté par le Net pour l'achat de voyages (65% contre 12%) et pour les produits culturels (47% vs 19%). Quelles sont les motivations des « actifs urbains » interrogés par OpinionWay ? Elles sont d'abord d'ordre financier : l'attractivité des prix et la facilité pour comparer les prix sont mises en avant par les sondés. Mais elles sont aussi d'ordre pratique, avec la capacité à faire ces achats à tout moment et la rapidité induite par l'outil Internet... Des éléments qui concourent avec certitude à la caractéristique plaisir des achats en ligne. Les personnes interrogées évoquent ainsi un plaisir plus grand sur la Toile qu'en magasins (55 % vs 51%).

Confirmant que les actifs urbains ont accru leurs dépenses sur Internet au cours des deux dernières années dans un contexte économique qui reste difficile (le montant de leurs achats devant même se stabiliser au cours des deux prochaines années), ceux-ci n'ont pas renoncé pour autant au commerce traditionnel. Autre constat important : la recherche d'informations sur Internet avant l'achat en magasin est devenue une pratique très répandue : 87% des « actifs urbains » le font de temps en temps, 41% très souvent. À noter que 67% d'entre eux déclarent faire l'inverse de temps en temps, c'est-à-dire rechercher des informations dans les commerces traditionnels avant d'acheter en ligne.

Distripolis, le nouveau mode de distribution en ville de Géodis

LA LOGISTIQUE URBAINE

La logistique urbaine consiste à acheminer les flux de marchandises qui entrent, circulent et sortent des villes. Le nouveau défi écologique et respectueux de l'environnement est d'innover pour s'insérer dans le paysage urbain de façon discrète et optimisée.

Cet objectif doit prendre en compte les nouvelles habitudes des urbains qui n'hésitent plus à acheter sur Internet et se faire livrer à domicile et même à échanger des biens entre eux. On distribue donc directement aux habitants et non plus aux commerces de proximité.

A. Après avoir lu cet article et l'encadré sur la logistique urbaine, dites si vous êtes d'accord avec cette affirmation : « *Les urbains actifs privilégient le e-commerce sans toutefois délaisser le commerce de proximité.* »

B. Observez la photo de droite. Il s'agit d'un nouveau mode de transport de marchandises en ville. Expliquez en quoi il répond à l'évolution du mode de consommation et de déplacement en ville des urbains.

Source : Gérard Clech, IT Espresso.fr, 5 février 2013

Le monde change, la consommation aussi. Voici deux exemples qui illustrent cette évolution.

Partager votre habitat, c'est le cohousing… Et ça marche !

Né au Danemark dans les années soixante, le cohousing se développe. Des projets naissent au Québec ou encore en France. Mais de quoi parle-t-on exactement ?
C'est un phénomène qui repose sur la volonté d'un groupe de personnes d'acheter en commun un logement (une maison ou un groupe de maisons). Elles peuvent ainsi accéder à un lieu de vie plus spacieux, plus agréable ou mieux localisé que si elles avaient dû acheter seules.
On voit comment des familles se regroupent pour mettre en commun leurs économies et acheter un immeuble ou une vieille ferme alors qu'elles n'auraient jamais pu prétendre accéder à la propriété autrement. Ensemble, elles retapent et aménagent espaces privés ou privatifs et espaces communautaires.
En somme, chaque famille est propriétaire d'une partie des biens et co-propriétaire de certains espaces d'habitation qui sont sociabilisés. Ces espaces peuvent être la salle de jeux des enfants, le jardin-potager ou le garage.
Ce type de projet s'appuie sur la philosophie qui accompagne le développement durable et favorise aussi la solidarité entre voisins et entre générations.
Malgré l'enthousiasme et l'approche solidaire du cohousing, certains s'inquiètent du flou juridique et fiscal de cette pratique même si cela n'a pas l'air de freiner l'expansion de ce phénomène.

Source : D'après www.cohabitat.ca, 2013

CityzenCar ou la voiture partagée

S'il est un symbole du capitalisme propriétaire, fruit de toutes les projections de pouvoir, c'est bien l'automobile. C'est pourtant un beau gâchis car 92 % des voitures ne roulent qu'une heure par jour. Pour cause de restrictions budgétaires, 56 % des Français seraient prêts à louer leur véhicule. L'Ifop et la plateforme de microlocation entre particuliers, CityzenCar, ont croisé leurs compétences pour décrypter ce phénomène fondé sur la confiance. La considération écologique (52 %) et la confiance accordée au site et à ses emprunteurs (52 %) inciteraient les Français à franchir le pas et à louer leur propre véhicule *(Ifop et CityzenCar, sondage octobre 2011 sur Les Français et la confiance).*
Nicolas Le Douarec, fondateur de CityzenCar en avril 2011, explique : « Nous nous appuyons sur trois valeurs-clés : la confiance, la sérénité et la sécurité ». Les utilisateurs propriétaires de véhicules veulent rentabiliser leur bien et les locataires veulent utiliser facilement et occasionnellement ce moyen de transport. « Nous avons déjà 10 000 inscrits pour un parc de 1 000 voitures. Les propriétaires sont plutôt des seniors qui veulent se rendre utiles et disposer d'un revenu complémentaire. Les locataires sont issus de la génération Y, concernée par des formes alternatives de consommation. ».

Source : http://www.e-marketing.fr/Breves/Les-urbains-et-la-consommation-collaborative-51118.htm, octobre 2011

A. Après avoir lu ces deux exemples, choisissez-en un et à deux, discutez-en pour en faire ressortir les avantages et les inconvénients. Vous n'oublierez pas de donner votre avis.

B. Connaissez-vous d'autres exemples appartenant à ce phénomène de nouvelles consommations ? Décrivez-en un dans un court article.

C. À votre tour, par groupes réduits, proposez des idées pour changer les habitudes de consommation. Faites la description de votre projet au reste de la classe.

LA SEMAINE DE LA **FRANCOPHONIE**

Organisée chaque année autour du 20 mars, Journée internationale de la francophonie, la Semaine de la langue française et de la francophonie est le rendez-vous régulier des amoureux des mots en France comme à l'étranger. Elle offre au grand public l'occasion de fêter la langue française en lui manifestant son attachement et en célébrant sa richesse et sa diversité. Les professeurs de français, les associations francophiles, etc. font partager leur goût pour les mots en organisant une dictée, une conférence, un spectacle, une joute oratoire... Cette fête de la langue française ne se déroule pas qu'en France, les Suisses, les Belges, les Québécois et l'ensemble des pays de l'Organisation internationale de la francophonie y prennent part. Depuis 2010, le slam s'invite à la Semaine permettant à chacun de s'exprimer librement autour de dix mots à l'occasion de tournois ou de scènes ouvertes. C'est pendant cette Semaine de la langue française et de la francophonie que se réalise l'opération « Dis-moi dix mots » qui invite chacun à jouer et à s'exprimer autour de dix mots sous une forme littéraire ou artistique de septembre à juin. Ces dix mots sont choisis, chaque année, par les différents partenaires francophones : la France, la Belgique, le Québec, la Suisse et l'OIF (qui regroupe 75 États et gouvernements dans le monde).Ils proposent au public autant de pistes de jeu ou de travail pour aborder les multiples facettes d'une thématique dans laquelle chacun peut se reconnaître et manifester son intérêt ou son goût pour la langue française.

Si la langue française n'a cessé, tout au long de son histoire, d'emprunter des mots à d'autres langues, on oublie à quel point le français reste vivant dans les langues étrangères qui, depuis longtemps, lui empruntent en retour nombre de mots et d'expressions. C'est d'ailleurs au français, historiquement, que les langues du monde ont le plus emprunté. Ainsi, de nombreux mots issus de domaines aussi divers que la cuisine, la mode mais aussi la guerre, les sentiments, la diplomatie sont passés tels quels dans d'autres langues, qu'ils ont enrichies en exprimant une notion sous une forme particulièrement juste ou élégante. Ils témoignent ainsi de l'attrait exercé par notre langue, du « désir de français » qu'elle suscite, de sa « valeur ».

Source : © www.dismoidixmots.culture.fr. Ministère de la Culture et de la Communication

A. À deux, proposez des définitions pour chacun des mots suivants.

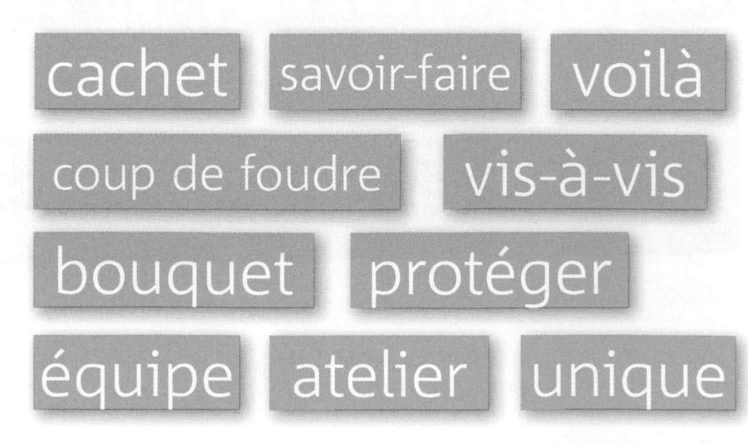

B. Cherchez en ligne les 10 mots de la Semaine de la langue française de cette année et participez au concours.

QUESTIONNAIRE SUR LA LANGUE FRANÇAISE

Vérifiez vos connaissances sur la langue française, son histoire et sa présence dans le monde en répondant à ce questionnaire.

1. De quelle langue est essentiellement issu le français ?
a Du latin.
b Du grec.
c Du francique.

2. En quelle année le français est-il officiellement devenu langue de la cour de France ?
a En 842.
b En 1539.
c En 1604.

3. Comment appelle-t-on le français parlé au Moyen Âge ?
a Le français médiéval.
b Le français féodal.
c L'ancien français.

4. Qui a fondé l'Académie française ?
a Rabelais.
b Richelieu.
c Molière.

5. L'abbé Grégoire est connu pour...
a sa défense des langues de France pendant la Révolution.
b son combat contre le latin et l'anglais.
c sa volonté d'imposer le français et d'éradiquer les autres langues de France.

6. Les Gaulois parlaient une langue romane
a Vrai.
b Faux.
c On ne sait pas.

7. *Frêle* et *fragile* sont des doublets.
a Ce sont des synonymes.
b Le premier est d'origine grecque et le deuxième latine.
c Ils sont issus du même mot latin, mais le premier a connu l'évolution populaire et l'autre l'évolution savante.

8. L'organisme international qui regroupe les pays francophones est...
a l'OIF.
b l'ONU.
c l'OMS.

9. Selon les statistiques officielles, combien dénombre-t-on de francophones dans le monde ?
a 150 millions.
b 400 millions.
c 210 millions.

10. Dans quel pays francophone vous trouvez-vous si « vous magasinez » ?
a Au Québec.
b En Tunisie.
c Au Sénégal.

11. La Journée de la francophonie se tient tous les ans. C'est le...
a 14 juillet.
b 8 mai.
c 20 mars.

12. Combien d'États font officiellement partie de la Francophonie ?
a 37.
b 57.
c 77.

RÉSULTATS : 1a - 2b - 3c - 4b - 5c - 6b - 7c - 8a - 9c - 10a - 11c - 12b

Vous avez obtenu entre 10 et 12 bonnes réponses : vous êtes incollable sur la langue française, bravo !

Vous avez obtenu entre 5 et 9 bonnes réponses : vous vous défendez bien mais il vous reste encore à en apprendre sur l'histoire du français !

Vous avez obtenu moins de 5 bonnes réponses : ne vous découragez pas, le français n'est pas simple et son histoire non plus !

A. Lisez le questionnaire et répondez-y. N'hésitez pas à utiliser les outils disponibles sur Internet pour répondre.

B. Par groupes, sur ce même modèle, préparez un petit questionnaire sur votre langue ou les langues de la classe.

PETITE HISTOIRE DU DROIT DE GRÈVE EN FRANCE

Les Français ont la réputation d'être les plus grands grévistes d'Europe. Mais leurs mouvements ont pour but de défendre des droits chèrement acquis hier.

La grève. Essentielle, elle défend le maintien de la semaine de 35 heures et des pensions de retraite. Maudite, elle provoque des retards au travail, perturbe les vacances des voyageurs et désespère ceux et celles qui doivent envoyer des colis urgents. Elle est l'arme des travailleurs, qu'ils soient employés de la Poste ou de la SNCF, professeurs ou camionneurs. [...]

Pourquoi la grève ?
Une grève représente à la fois un espace de sable ou de galets au bord de l'eau et une cessation collective du travail comme méthode de revendication. [...] Ce mot est devenu un droit et un devoir pour les salariés et leurs syndicats. [...]

Défense et droit de faire la grève
En 1791, deux ans après l'arrivée de la démocratie en France, la loi Le Chapelier est instaurée. Limitant les droits du travailleur à la possibilité de quitter son employeur, elle rend la grève illégale. Il faut attendre 1864 pour qu'une révision du Code pénal libère les grévistes d'un statut de hors-la-loi. Ils respireront mieux jusqu'en 1941, année où le régime de Vichy vote la *Charte du Travail*, qui rend de nouveau la grève illégale et impose aux salariés l'adhésion à un syndicat unique. Finalement, la Constitution de 1946 donne la liberté au travailleur de choisir son syndicat et rétablit le droit de grève. [...]

Premiers mouvements et acquis sociaux
De longues batailles menées par les travailleurs français dès le XIXe siècle leur permettent de faire certains pas en avant, notamment en ce qui concerne la réduction de leur temps de travail. En 1889, la France adopte le 1er mai comme jour de grève officiel. C'est une référence aux soulèvements du 1er mai 1886 aux États-Unis, qui ont permis à des centaines de milliers d'Américains de voir leur journée de travail fixée à 8 heures. Les Français doivent attendre 1919 pour bénéficier de la même situation. Ils obtiennent toutefois d'importants acquis sociaux en 1936, année où une grève générale se conclut avec la création de conventions collectives, la limitation de la durée de travail hebdomadaire à 40 heures et l'obtention de deux semaines de congés payés.

Mai 68
Mai 68 débute par un soulèvement universitaire mais rapidement, les syndicats rejoignent les étudiants pour dénoncer les brutalités policières à leur égard. Le mouvement ouvrier lance un appel à la grève générale. Les manifestations atteignent des proportions supérieures à celles de 1936.

Les mobilisations récentes
Parmi les récentes grèves qui resteront dans les mémoires, il faut noter celles de 1995 et celles de 2005. La première était en réaction au plan Juppé, qui devait réformer les retraites et la Sécurité sociale. Un vaste mouvement déclenché en novembre 1995 s'est poursuivi jusqu'à la fin décembre. La SNCF, la RATP, La Poste et France Télécom y ont notamment participé. Le gouvernement fut contraint de s'asseoir sur sa réforme des retraites.
Les nombreuses mobilisations au cours de l'année 2005 dénonçaient quant à elles la précarité de l'emploi en France et clamaient l'importance du maintient de la semaine de 35 heures. [...] Au fil des ans, les mouvements pour la conservation des acquis sociaux se sont ajoutés à ceux qui visaient l'amélioration des conditions de travail. [...]

Toujours en grève, les Français ?
Les données récentes [...] placent la France en tête de liste des pays européens comptant le plus grand nombre de jours de travail perdus liés à la grève. [...] Les médias soulignent pourtant un grand paradoxe : la France est le moins syndiqué des pays développés. Ses grèves concernent surtout le secteur public et ont tendance à priver l'ensemble de la population de certains services (transports, courrier ou autre nécessité).

Le prix de la grève
Selon le Medef, Île-de-France, une seule journée de grève dans les transports en commun entraîne des pertes de 50 millions d'euros pour les entreprises franciliennes. Si vous croyez que les grèves vous font gaspiller du temps précieux, consolez-vous en vous disant qu'elles coûtent beaucoup d'argent à votre employeur. Alors, ces grèves, nuisibles ou nécessaires ?

Source : *Suite 101*, Marie-Ève Brochu, 22 avril 2010

A. À partir de la lecture de cet article, proposez une chronologie de l'histoire de la grève en France.

B. Selon vous, quelle est la position de l'auteure par rapport à la grève ? Pourquoi ?

C. Par groupes, discutez des principaux mouvements de ces derniers temps, qu'ils soient en lien avec le travail ou plus généralement avec des phénomènes de société. Puis choisissez-en un pour l'exposer au reste de la classe.

Le travail et vous

1 **Vendredi 19 h 00. Alors que vous êtes sur le point de rentrer chez vous, votre chef fait irruption dans votre bureau et vous demande de préparer le rapport TECO pour lundi matin 8 h 00.**

a) Vous refusez catégoriquement et dites à votre chef qu'il cherche quelqu'un d'autre ou qu'il fasse lui-même le rapport.
b) Vous dites à votre chef : « Pas de soucis, ce sera fait ! », puis vous vous précipitez chez un ami médecin pour obtenir un congé maladie.
c) Vous annulez tous vos projets du week-end et vous passez deux nuits blanches à écrire ce rapport.
d) Autre proposition (précisez)

2 **Duteuil part demain en vacances aux Seychelles avec sa femme et ses enfants. Les enfants sont fous de joie. Tout est déjà organisé : les billets d'avion et le bungalow sur la plage sont déjà payés. Hélas, Duchemin, le collègue de Duteuil, est malade et on prie Duteuil d'aller à sa place accueillir à l'aéroport les clients coréens. Ces clients sont sur le point de signer un contrat très important pour l'entreprise et on demande à Duteuil s'il peut aussi leur servir de guide pendant la durée de leur séjour qui coïncide justement avec sa période de congés annuels.**
Si vous étiez à la place de Duteuil, comment réagiriez-vous ?

3 **Un ami vous raconte qu'X, un de ses collègues qu'il apprécie et qui fait bien son travail, a été traité d'incompétent et de tire-au-flanc par Lepentier, petit chef tyrannique. Depuis quelque temps, Lepentier, envieux de la réputation de son subordonné, croit son poste menacé et harcèle donc X psychologiquement pour le faire démissionner. Par peur d'être à son tour victime de Lepentier votre ami a préféré se taire.**
Qu'auriez-vous fait à sa place ?

a) Je n'aurais rien dit non plus. Je pense que chacun doit savoir se défendre seul.
b) Je serais intervenu et j'aurais empêché Lepentier d'harceler X.
c) J'aurais dénoncé le comportement de Lepentier auprès des syndicats.
d) J'aurais agi autrement (précisez).

4 **L'entreprise dans laquelle vous travaillez depuis 16 ans annonce une diminution des bénéfices cette année et, si les choses ne s'améliorent pas, elle devra licencier une partie du personnel. Afin d'éviter cette mesure drastique, la direction propose à ses cadres (dont vous) d'accepter une diminution de salaire. Le comité d'entreprise réunit tout le personnel afin de parler de la situation et de procéder à un vote.**
Comment réagissez-vous ?

5 **Un collègue qui rentre d'un déplacement aux États-Unis se vante d'être allé dans des hôtels de luxe et d'avoir mangé dans les meilleurs restaurants.**
Vous trouvez...

a) qu'il a bien fait, déjà qu'on l'oblige à voyager sans lui payer d'heures supplémentaires !
b) que ce n'est pas très éthique. Il abuse de la confiance de ses supérieurs et gaspille de l'argent qui est le capital de tous : entreprise et employés !
c) que l'entreprise aurait dû le licencier en voyant sa note de frais ou, du moins, lui donner un avertissement.

6 **Afin de lutter contre le chômage des jeunes sans qualification, l'État verse des subventions aux entreprises qui les embauchent pour les former. L'hypermarché où vous travaillez comme comptable a des difficultés d'argent et votre patron vous a demandé de falsifier des documents afin de bénéficier de ces subventions. Vous savez que c'est complètement illégal mais vous recevez des pressions et votre emploi et celui de vos 200 collaborateurs pourraient être en danger.**
Que faites-vous ?

7 **À votre avis, une entreprise doit-elle adapter le temps de travail aux besoins de ses employés ? Croyez-vous qu'une entreprise ait une responsabilité sociale ?**

A. Répondez individuellement à ces questions puis formez des groupes réduits pour comparer vos réponses et discuter entre vous de ces situations du monde professionnel et des options possibles pour y faire face.

B. À la fin, chaque groupe présentera une synthèse de cette discussion.

1 POINT À LA LIGNE

LES SIGNES DE PONCTUATION

Les signes simples

- **Le point (.)** indique la fin d'une phrase. On n'oubliera pas de laisser un espace entre le point et le premier mot de la phrase suivante. Ce mot prendra une majuscule. À l'oral, on l'indique par une baisse de l'intonation et une pause longue avant de commencer la phrase suivante.

  Cet homme s'appelle Paulo Pedro. Il est brésilien.

- **La virgule (,)** marque une pause courte. À l'oral, l'intonation ne change pas mais on marque une légère pause dans la lecture entre les différents éléments qu'elle sépare. Elle s'emploie :

- pour séparer des éléments semblables.

  Le ski, l'équitation, le golf sont des sports chers.
  Rosalinda a très vite appris à lire, à écrire, à compter.

- pour séparer un élément qui a une valeur explicative du reste de la phrase.

  Honfleur, autrefois modeste port de pêche, est une ville prospère.

- après un complément circonstanciel placé en tête de la phrase.

  Hier après-midi, je suis allée au cinéma.
  Au milieu de la salle à manger, il y avait une plante gigantesque.

- **Les points de suspension (...)** indiquent une interruption de phrase, un sous-entendu. Ils peuvent aussi remplacer *etc.* dans une énumération.

  Pascal travaille... une fois de temps en temps.

Entre crochets, ils indiquent une coupure dans un texte ou une citation.
« Les mois puis les années passèrent [...]. Un beau dimanche après la messe, il acheta un bouquet, mit son bel habit noir, sa cravate et ses gants, puis traversa la rue et alla sonner chez la voisine. »

Les doubles signes

On laisse un espace entre le dernier mot de la phrase et le double signe de ponctuation. Cette règle ne s'applique pas en français pancanadien.

▶ **Le point d'interrogation (?)** s'emploie après une phrase qui exprime une question directe. À l'oral, on l'indique par une intonation montante.

Qu'est-ce que vous faites dans la vie ?

▶ **Le point d'exclamation (!)** se met après une interjection, une locution interjective, une phrase qui exprime un sentiment, une émotion, un ordre. À l'oral, on l'indique par une intonation montante.

Eh ! Écoutez-moi bien !
Oh là là ! Quelle bonne surprise !

▶ **Le point-virgule (;)** marque une pause moyenne. Il s'emploie :

- pour séparer dans une phrase des parties dont une au moins est déjà subdivisée par une virgule.

Nos enfants grandissent, veulent découvrir le monde ; nous vieillissons et préférons rester à la maison.

- pour séparer des phrases de même nature relativement longues.

Amina adorait rester pendant des heures sur la plage ; Bastien faisait des allergies au soleil.

▶ **Les deux-points (:)** s'emploient :

- pour annoncer une citation, une sentence, un discours direct.

Descartes a dit : « Je pense, donc je suis. »

- pour annoncer l'analyse, l'explication, la cause, la conséquence, la synthèse de ce qui précède.

Son petit déjeuner est très simple : un café bien chaud et deux tartines de pain avec du beurre.

▶ **Les guillemets (« »)** s'emploient au début et à la fin d'une citation, d'un discours direct. On utilisera de préférence les guillemets à la française qui marquent l'ouverture et la fermeture de la citation.

Le candidat a déclaré : « Votez pour moi, vous ne serez pas déçus ! »

LES ACCENTS

L'accent aigu (´)

On le place seulement sur le **e** et il indique qu'il faut le prononcer [e].

Hier, je suis allée au cinéma.

L'accent grave (`)

On le place seulement sur le **e**, le **a** et le **u**.

Sur le **a** et sur le **u**, il sert à distinguer un mot d'un autre.

*L'un **ou** l'autre ? ≠ **Où** vas-tu ?*
*On est **à** la maison. ≠ Il **a** beaucoup grandi !*

L'accent circonflexe (^)

On le place sur toutes les voyelles, sauf le **y**. Il sert parfois à éviter la confusion entre certains mots.

Les murs de cette maison sont en pierre.
Ce fruit n'est pas mûr.

Dans les formes verbales, l'accent circonflexe permet de distinguer des verbes différents ou des temps verbaux spécifiques. C'est le cas avec les verbes ***croître*** et ***croire***.

Tu croîs de plus vite en plus vite !
Est-ce que tu me crois ?

À l'imparfait du subjonctif, tous les verbes prennent un accent circonflexe à la troisième personne du singulier.

Je l'appelai pour qu'il sût à quoi s'en tenir.

L'accent circonflexe rappelle parfois aussi la disparition d'un **s** comme dans ***hôtel***, ***île***, ***pâte***, ***tête***, ***château***, ***côte***, etc. Ces mots s'écrivaient autrefois : ***ostel***, ***isle***, ***paste***, ***teste***, ***castel***, ***coste***.

Le tréma (¨)

On trouve le tréma sur les voyelles **e** et **i** pour indiquer que la voyelle qui les précède immédiatement doit être prononcée séparément.

aiguë [egy]   *maïs* [mais]

▶ **[e]** peut s'écrire *e*, mais il a d'autres graphies :

- **é** comme dans ***été***.

- **er** en syllabe finale comme dans ***boulanger*** ou ***manger***.

- **es** dans des mots d'une seule syllabe comme ***les***, ***mes***, ***ces***.

▶ **[ɛ]** peut s'écrire :

- **ê** comme dans ***fête***.

- **è** comme dans ***père***.

- **e** + consonne prononcée en fin de syllabe comme dans ***carnet***, ***guerre***.

2 LES BONS PLANS

LES ANAPHORES

Pour éviter, d'une phrase à l'autre, la répétition pure et simple d'un nom, on a souvent recours aux pronoms personnels ou démonstratifs. Ces deux types de pronoms prennent le genre et le nombre du nom qu'ils remplacent.

▶ Les pronoms personnels : **il**(**s**) et **elle**(**s**)

*Mon voisin a dû être hospitalisé car **il** (mon voisin) a eu un accident de voiture.*
*J'ai rencontré Marine et Sandra ce matin. **Elles** (Marine et Sandra) partent toutes les deux en Erasmus.*

▶ Les pronoms démonstratifs : **celui**, **celle**, **ceux**, **celles**

*La police a remorqué la voiture de mon voisin car **celle-ci** (sa voiture) était complètement sinistrée.*

> **Attention ! Il**(**s**) et **elle**(**s**) remplacent le sujet de la phrase précédente ; **celui-ci**, **ceux-ci**, **celle**(**s**)**-ci** remplacent le dernier mot de la phrase précédente.
>
> *Le producteur d'*Intouchables *a monté les marches du festival de Cannes en compagnie d'Omar Sy.*
> ***Il** était radieux (= le producteur) / **Celui-ci** était radieux. (= Omar Sy).*

LES PRONOMS DÉMONSTRATIFS

Ces pronoms ne s'emploient jamais seuls. Ils sont déterminés par :

▶ une phrase relative.

- ● *Quelles assiettes je mets ?*
- ❍ *Mets **celles qui** sont dans le buffet de la salle.*

- ● *J'ai rencontré Alain. Il était avec le type qui a un énorme tatouage sur le bras droit !*
- ❍ ***Celui qui** était venu à sa fête d'anniversaire ?*
- ● *Non, **celui avec qui** on l'a croisé l'autre jour dans la rue.*

▶ par un complément.

- ● *Tu connais ces deux types ?*
- ❍ ***Celui de** gauche non, mais l'autre, c'est un collègue de Xavier.*

▶ la particule *-ci* (ou *-là*).

*Serge Lebon vient finalement de faire la connaissance du réalisateur italien Carlo Ceruti ; **celui-ci** (Carlo) avait été en 2003 le président du jury du festival d'Ankara, où **celui-là** (Serge) avait présenté son film* La Vache.

EXPRIMER UN AVIS

On peut exprimer un avis en développant tout un raisonnement.

Je pense / considère / estime que le scénario de ce film ne correspond pas du tout à la réalité, parce que...

On peut aussi prendre position par le simple choix de mots (noms, adjectifs, verbes ou adverbes) porteurs d'opinion ; on les appelle des modalisateurs.

Le scénario de ce film est ***invraisemblable.***

Les modalisateurs permettent d'exprimer différents jugements :

- sur la beauté/laideur d'une œuvre : ils énoncent un jugement esthétique.

Le décor était ***éblouissant.*** (jugement esthétique positif par le biais d'un adjectif verbal)
Ce que ce gars est ***moche*** *!* (jugement esthétique négatif par le biais d'un adjectif qualificatif)

- sur la vraisemblance/l'invraisemblance : ils énoncent un jugement de véracité.

Cette histoire ***ne tient pas debout.*** (jugement de véracité négatif par le biais d'une locution verbale)
Ce personnage est ***plus vrai que nature****.* (jugement de véracité positif par le biais d'une expression comparative)

- sur ce qu'il y a de bon/de mauvais dans l'œuvre : ils énoncent un jugement moral ou éthique.

Le rap dénonce souvent les vices de la société. (jugement moral négatif par le biais d'un nom)
Ce type ***est d'une gentillesse*** *!* (jugement moral positif par le biais d'un nom)

- sur ce qui crée l'émotion positive ou négative : ils énoncent un jugement émotif.

Cette pièce m'a ***enchanté****.* (jugement affectif positif par le biais d'un verbe)
Le comportement du chef m'a ***profondément irrité.*** (jugement affectif négatif par le biais d'un verbe)

PARTICIPE PRESENT / ADJECTIF VERBAL

On forme le participe présent sur le radical de la première personne du pluriel du verbe au présent.
*finiss**ons** → finiss**ant***

sauf ***avoir*** **→** ***ayant***
être **→** ***étant / savoir*** **→** ***sachant***

Le participe présent peut-être utilisé de deux façons :

- comme un verbe. Il est invariable et se termine toujours en **-ant**. Il montre l'action en cours (un acte) et il correspond à une phrase relative.

La montagne, ***étendant*** *(qui étend) son ombre sur la vallée, nous surveille.*
Passionnant *son public, il a eu un grand succès.*

- comme un adjectif verbal. Il s'accorde et il n'exprime pas une action mais une caractéristique. Mais comment le savoir ? En le remplaçant par un autre adjectif.

J'ai assisté hier à une représentation ***fascinante*** *(superbe) d'Oscar et la dame rose.*
J'ai entendu quelques sketchs ***hilarants*** *(comiques, drôles) de Devos.*
J'ai trouvé cette exposition ***passionnante****.*

3 J'EXPOSE DONC JE SUIS

LA CAUSE

▶ **Parce que**

Parce que indique la cause de manière neutre, ce qui veut dire que le locuteur ne fait aucune supposition à propos de ce que l'interlocuteur sait. En réponse à une question, **parce que** peut se placer au début d'une phrase.

*Je mange **parce que** j'ai faim.*

*Pourquoi le zèbre est-il zébré ? **Parce qu'**il est né comme ça !*

Dans la structure **c'est parce que... (que)**, la cause introduite par **parce que** est mise en relief.

- *Tu ne viens pas avec nous au cinéma ?*
- *Non, mais **ce n'est pas parce que** le film ne m'intéresse pas. **C'est (parce) que** je dois finir un travail.*

***Ce n'est pas parce que** tu as un petit peu mal au ventre **que** tu vas rester au lit.*

▶ **Car**

Car exprime une cause (supposée) inconnue des interlocuteurs et ne peut pas être placé en début de phrase.

Je mange maintenant car après je n'aurai pas le temps.

Car est fréquent dans le discours scientifique et technique.

*Fumer est dangereux **car** des particules de goudron se fixent dans les poumons et...*

▶ **Comme** / **Puisque**

***Puisque** tu finis à midi, tu pourrais faire les courses.*
***Comme** il avait perdu les clefs de l'appartement, il n'a pas pu entrer.*

▶ **À cause de** + nom (ou pronom tonique)

À cause de exprime une cause dont la conséquence est considérée comme négative.

*Nous sommes arrivés en retard **à cause des** embouteillages.*

▶ **Grace à** + nom (ou pronom tonique)

Grace à exprime une cause dont la conséquence est considérée comme positive.

*Il a obtenu le poste **grâce à** ses relations.*

▶ **Pour** + infinitif passé / nom

Le sujet des deux phrases reliées par ce marqueur est le même.

Jim a été rudement grondé ***pour être arrivé*** *en retard. Le prof l'a rudement grondé* ***pour son retard****.*

L'OPPOSITION

L'opposition se caractérise par le fait qu'un élément de la première phrase s'oppose à un élément de la deuxième phrase.

▶ **Tandis que**

L'équipe des bleus travaille ***tandis que*** *l'équipe des rouges dort.*

▶ **Alors que**

Annie aime faire la fête avec ses amis ***alors que*** *Martin préfère rester tranquillement chez lui.*

▶ **Pendant que**

La relation d'opposition porte sur deux actions simultanées.

Marité dort ***pendant que*** *Gilles prépare le café.* ***Pendant que*** *Gilles prépare le café, Marité dort.*

LA RESTRICTION

▶ **Mais / Cependant / Pourtant**

J'aime la musique ***mais*** *je déteste le jazz. Il a vraiment beaucoup étudié* ***cependant*** *il n'a pas réussi l'examen.*

Ces marqueurs ne sont pas toujours interchangeables et chacun véhicule une nuance différente. **Mais** est le marqueur de restriction le plus fréquent et le plus neutre. **Cependant** introduit une nuance de concession et est donc perçu comme moins catégorique ou agressif que **mais**. **Pourtant** introduit une restriction présentée comme paradoxale, un fait qui se produit contre la logique, contre toute attente et qui se comprend mal.

J'ai dormi plus de 10 heures ***pourtant*** *je me sens encore fatiguée.*
Il a renoncé à participer à ce projet, ***pourtant****, ça lui plaisait beaucoup.*

▶ **Bien que / Malgré le fait que / Quoique**

Bien qu'*il ait vraiment beaucoup étudié, il n'a pas réussi l'examen.*
Malgré *(****le fait****)* ***que*** *je sois un passionné de musique, je déteste le jazz.*
Quoique *Patrick ait vraiment beaucoup étudié, il n'a pas réussi l'examen.*

▶ **Or** sert aussi à juxtaposer, à mettre en relation deux propositions qui vont déboucher sur une conclusion logique. Dans cet emploi, **or** n'exprime pas obligatoirement une restriction mais signifie plutôt « je veux faire constater, remarquer que... ».

Tous les hommes sont mortels. ***Or,*** *les Grecs sont des hommes, donc les Grecs sont mortels.*

4 D'OÙ ÇA VIENT ?

LE CONDITIONNEL PRÉSENT ET PASSÉ

Le conditionnel présent

Pour former le conditionnel présent, il faut emprunter la base du futur simple et ajouter les désinences caractéristiques de l'imparfait.

*L'expression « tomber dans les pommes » **viendrait** d'« être dans les pommes cuites » qui signifiait être malade...*

INFINITIF	BASE DU FUTUR SIMPLE	DÉSINENCES DE L'IMPARFAIT
étudier	*étudier-*	
aimer	*aimer-*	*-ais*
inviter	*inviter-*	*-ais*
dormir	*dormir-*	*-ait*
avoir	*aur-*	*-ions*
aller	*ir-*	*-iez*
devoir	*devr-*	*-aient*
vouloir	*voudr-*	

Le conditionnel passé

Le conditionnel passé est formé d'un auxiliaire **avoir** ou **être** au conditionnel présent, suivi du participe passé du verbe.

*Les linguistes **auraient trouvé** l'origine du mot...*

TROUVER	
J' aurais *Tu aurais* *Il/Elle/On aurait* *Nous aurions* *Vous auriez* *Ils/Elles auraient*	*trouvé*

ALLER	
Je serais *Tu serais* *Il/Elle/On serait* *Nous serions* *Vous seriez* *Ils/Elles seraient*	*allé/e/s/es*

ON

On s'utilise si le locuteur veut exprimer une généralité ou ne pas préciser l'origine de ses sources.

__On__ ne connaît pas bien l'origine de cette langue.

On s'utilise également pour créer un effet d'anonymat parce que le locuteur ne peut pas ou ne veut pas préciser l'identité de la personne ou des personnes dont il parle. **On** peut signifier :

- « quelqu'un » : personne censée être unique mais inconnue.

  Va ouvrir ; __on__ a sonné.

- « des gens » ou « les gens » : personne multiple mais indéterminée.

  Dans sa région, __on__ fait du vin de fruits.

- « tout le monde » : collectivité.

  __On__ ne vit qu'une fois !

SITUER DANS LE TEMPS

Les marqueurs temporels permettent de situer dans le passé un évènement ou bien une période. Ils peuvent précéder ou bien suivre le verbe (placés avant le verbe, ils sont mis en relief).

Le peuple de Paris a attaqué la Bastille __le 14 juillet 1789__.
__Le 14 juillet 1789__, le peuple de Paris a attaqué la Bastille.

Les marqueurs temporels peuvent être très précis ou, au contraire, indiquer une période floue.

\+ précis

__Le 14 juillet 1789__, le peuple parisien a pris la Bastille.

__En 1715__, les Bretons se sont révoltés contre le royaume.

__Vers 1700__, a commencé l'âge des Lumières.

__Au début__ / __Au milieu__ / __À la fin de l'__année 2025 / __du__ XXIe siècle, l'euro sera-t-il toujours la monnaie européenne ?

__Dans les années 70__, on portait des pantalons pattes-d'éléphant.

__Sous (le règne de) Louis XIV__, __sous Napoléon Ier__, la France était puissante.

__Au XIVe siècle__, peu de gens savaient lire.

__À l'Âge de pierre__, **au Moyen Âge**, *__à la Renaissance__, __au temps des Gaulois__, les gens s'aimaient comme aujourd'hui.*

__À l'époque de la Grèce antique__, des invasions normandes, on voyageait à pied ou à cheval.

– précis

LES COLLOCATIONS

Une collocation est une association habituelle d'un mot avec un autre au sein d'une phrase. C'est un rapprochement de termes qui prend du sens dans son contexte culturel.

*Un **élève** est autonome MAIS un **travailleur** est indépendant.*

*On **mange** de la viande, on **mange** ses mots MAIS on ne **mange** pas un livre, on le **dévore.***

LA MISE EN RELIEF

Pour mettre en relief un élément de la phrase, on utilise : **C'est** / **Ce sont** + nom + pronom relatif.

- ***C'est bien Archimède qui** a découvert la pesanteur, n'est-ce pas ?*
- *Non, ce n'est pas lui, **c'est Newton qui** a découvert la pesanteur.*

- *Le grand chef gaulois Vercingétorix est mort à la bataille d'Alésia.*
- *Mais non ! **C'est à Rome que** Vercingétorix est mort.*

LES PRONOMS RELATIFS COMPOSÉS

Ils sont accompagnés d'une préposition ou d'une locution prépositionnelle. Ils s'accordent en genre et en nombre avec le nom qu'ils représentent.

*C'est un objet **avec lequel** on écrit.*
*C'est une personne **à laquelle** je pense souvent.*
*Ce sont des ingrédients **sans lesquels** il est impossible de bien cuisiner.*
*Ce sont des informations **grâce auxquelles** la police a identifié le coupable.*

PRÉPOSITION	PRONOM RELATIF
avec, dans, sans, en, sous, devant, sur, derrière, pour, malgré, contre, etc.	*lequel*
	laquelle
	lesquels
	lesquelles
grâce	*auquel*
	à laquelle
	auxquels
	auxquelles
à côté *à cause* *au moyen* *à la tête* *en face* *près*	*duquel*
	de laquelle
	desquels
	desquelles

Attention ! quand le pronom se réfère à une personne, on peut aussi utiliser le pronom relatif simple **qui**.

*C'est une personne **à laquelle** / **à qui** je pense souvent.*

5 C'EST MA VILLE !

L'ADJECTIF

Les adjectifs qui attribuent au nom une qualité objective sont toujours placés après le nom.

*Une boîte **ovale**.*
*Une découverte **scientifique**.*

Certains adjectifs très fréquents tels que **grand**, **petit**, **gros**, **gentil**, **beau**, **joli**, **bon**, **long**, **mauvais**, **sale**, etc. changent de sens selon s'ils sont placés avant ou après le nom.

Placé après le nom, l'adjectif garde normalement son sens propre et a une signification précise.

*Mon fils est rentré de colonie avec tous ses vêtements **sales**. (=couverts de taches)*
*C'est un film **long**. (= qui dure plus longtemps que normalement)*
*C'est un homme **grand**. (= de grande taille, plus grand que la moyenne)*

Placé avant le nom, l'adjectif acquiert souvent un sens figuré dont la signification est parfois assez floue.

*C'est une **sale** affaire dans laquelle de nombreux politiciens sont impliqués. (= désagréable)*
*Ah, c'est une **longue** histoire ! (= je ne peux pas la raconter maintenant car c'est compliqué)*

LE BUT

▶ Phrase 1 + **pour** / **afin de** + phrase 2 à l'infinitif (sujets identiques). Dans ce cas, le sujet est le même dans les deux phrases.

*Nathalie travaille le soir **pour** / **afin de** payer ses études.*
*Paul part toujours très tôt **pour** / **afin de** ne pas **arriver** en retard au travail.*

▶ Phrase 1 + **pour que** / **afin que** + phrase 2 au subjonctif (sujets différents).

*Je t'offre le billet d'avion **pour que** / **afin que** tu viennes me voir.*
*Parle plus bas **pour qu'** / **afin qu'**on ne nous entende pas.*

▶ Phrase 1 + **de manière à** / **de façon à** + phrase 2 à l'infinitif. Ici, le but est atteint grâce à une certaine manière de faire.

*Il faut appuyer sur le couvercle **de manière à** / **de façon** à ouvrir la boîte.*

▶ Phrase 1 + **de sorte** / **de manière / de façon que** + phrase 2 au subjonctif (sujets différents). Ces marqueurs expriment la recherche d'un but qui dépend d'une manière de faire.

*J'ai envoyé les documents par coursier **de sorte** / **manière** / **façon que** tu les aies demain.*

LA CONSÉQUENCE

▶ Les marqueurs de conséquence

Alors, **donc** et **par conséquent** introduisent une conséquence logique, qui a souvent valeur de conclusion.

*J'aime l'aventure **alors**, cet été, je suis partie en Amazonie...*
*Tu aimes l'aventure, **alors** fais un voyage en Amazonie.*
*Je pense **donc** je suis.*
*Tu aimes l'aventure, fais **donc** un voyage en Amazonie.*
*Il pleuvait, **par conséquent** les routes étaient plus dangereuses.*
*Vous avez assez d'argent pour vivre, **par conséquent** arrêtez de travailler et profitez de la vie !*

Si bien que, **c'est pourquoi** et **de sorte que** introduisent rarement une conséquence qui a valeur de conclusion.

*Pierrot a mangé trop de glaces **si bien qu'**il a eu mal au ventre.*
*J'ai du travail en retard, **c'est pourquoi** je ne pourrai pas venir.*
*Je n'ai pas vu mes parents depuis deux mois **de sorte que** je me sens obligé d'aller les voir ce week-end.*

Du coup annonce une conséquence brusque, spontanée, immédiate.

*Il s'est mis à neiger. **Du coup**, nous sommes rentrés.*
*Je me suis endormi ce matin et **du coup**, je n'ai pas eu le temps de déjeuner.*

▶ **Aussi** (inversion verbe-pronom)

*Les spectateurs n'ont pas aimé le film, **aussi** sont-ils partis avant la fin.*

À l'oral, dans un registre de langue familier, l'inversion n'est pas toujours faite.

*Mon fils n'était pas assez couvert hier, **aussi il a pris** froid.*

▶ **Si / Tellement... que**

Si et **tellement** se placent devant un adjectif ou un adverbe et expriment une très grande intensité.

● *Mais, tu t'endors !?*
❍ *Excuse-moi, mais je suis **si** / **tellement** fatiguée !*

Si et **tellement** annoncent souvent une conséquence qui sera introduite par **que**.

*Je suis **si** / **tellement** fatiguée* (adjectif) *que je m'endors absolument partout.*
*Le prof parle **si** / **tellement** vite* (adverbe) *que personne n'a le temps de noter ce qu'il dit.*

▶ **De (telle) manière que / de (telle) façon que**

Ces deux marqueurs expriment une conséquence due à une manière de faire.

*Il se comportait toujours très mal **de telle manière que** / **de (telle) façon que** personne ne voulait plus sortir avec lui.*
*Il écrit **de telle manière que** / **de (telle) façon que** personne ne le comprend.*

POUR ET PAR

Pour

La préposition **pour** exprime un échange, une équivalence.

*Payer 150 euros **pour** une paire de chaussures en matière synthétique !*
*Non merci, c'est trop cher **pour** ce que c'est !*

▶ Suivi d'un substantif ou d'un pronom, **pour** indique le bénéficiaire d'une action.

● *Tiens, c'est **pour** toi.*
❍ *Oh merci, tu es un amour !*

▶ Suivi d'un infinitif passé, **pour** exprime la cause.

● *Pourquoi est-ce que cet enfant est puni ?*
❍ *Il est puni **pour** avoir tiré la langue au professeur.*

▶ Suivi d'un complément de temps, **pour** indique un but temporel ou un laps de temps.

*Le prof nous a donné des tonnes de devoirs **pour** demain.* (but temporel)

*Il a été condamné et il est en prison **pour** cinq mois.* (laps de temps)

▶ Suivi d'un infinitif, **pour** indique le but d'une action.

*Il fait des économies **pour** partir en vacances avec ses copains.*

▶ Suivi d'un complément de lieu, **pour** indique une destination ou un but spatial.

*Je pars demain **pour** Marseille.*

▶ **Être pour** quelque chose veut dire **être en faveur de** quelque chose.

*Je suis **pour** la gratuité des transports en commun.*

Par

▶ La préposition **par** introduit l'auteur d'une action.

Les Misérables *est un roman écrit **par** Victor Hugo.*

▶ Elle indique la distribution.

*Le professeur a photocopié un texte **par** élève.*

▶ Elle indique la distribution dans le temps ou la fréquence temporelle.

*Je vais à la piscine une fois **par** semaine.*

▶ Elle indique un passage, un lieu que l'on traverse.

*Tu passes **par** où pour aller à Marseille ? Je passe **par** Dijon puis **par** Lyon.*

▶ Suivie d'un substantif, avec ou sans article, elle indique le moyen.

*On n'obtient rien **par** la force.*

FORMATION DE L'ADVERBE EN *-MENT*

On forme les adverbes en **-ment** à partir du féminin de l'adjectif.

*Furieuse**ment**, certaine**ment**, douce**ment***

Quand l'adjectif se termine en **-ent** ou **-ant**, l'adverbe correspondant se forme avec les suffixes **-emment** et **-amment**.

Ardent → *ard**emment***
Savant → *sav**amment***

LES ADVERBES

Tout comme les adjectifs, les adverbes ne sont pas indispensables à la phrase. Ils apportent cependant des nuances, des précisions ou des modifications qui peuvent nous aider à mieux formuler nos pensées et à faciliter l'interprétation de ce que nous disons.

Il peut le faire.
*Il peut le faire **intelligemment**.*

On distingue trois grands groupes d'adverbes, selon leur fonction :

- **Les adverbes modificateurs** modifient ou complètent un mot ou une phrase.

  *Il a mis **environ** deux heures à écrire une lettre.*

- **Les adverbes modalisateurs** apportent un commentaire sur ce qui est exprimé.

  *Tu as **probablement** tort de dire ça.*
  ***Heureusement**, elle m'a téléphoné ce matin.*

- **Les adverbes de liaison** sont des outils de cohérence textuelle reliant des phrases ou des propositions.

  ***Après** avoir hésité, il a **néanmoins** accepté.*

LES FORMES DU CONSEIL

Le conseil s'inscrit dans les modalités de suggestion. Pour conseiller, il faut donc penser à atténuer l'énoncé, de façon à ce qu'il ne soit pas perçu comme un ordre, mais plutôt comme une proposition qui est faite à l'interlocuteur pour améliorer sa situation. Contrairement à l'ordre, le conseil profite à celui qui le reçoit, qui sera ainsi l'agent et le bénéficiaire de cette action.

Ferme la fenêtre. → *Tu aurais moins froid* ***si tu fermais*** *la fenêtre.*
Faites très attention. → ***Vous devriez faire*** *attention car ceci est important.*

Pour conseiller, on utilise donc le plus souvent des formes indirectes, adaptées à la relation spécifique que l'on entretient avec l'interlocuteur. On peut dire que l'atténuation du conseil doit être d'autant plus grande que la distance personnelle et sociale entre les locuteurs augmente. Le conseil peut ainsi prendre différentes formes :

- L'impératif dans des relations très proches (famille, amis...) ou dans des relations (par exemple, médecin-patient) qui permettent de bien percevoir qu'il s'agit d'une suggestion et non pas d'un ordre.

Arrête *de te faire du souci, tout se passera bien.*
Viens *avec nous, tu vas t'amuser.*
Prenez *deux cachets tout de suite, vous vous sentirez mieux.*

Pour se rapprocher du consommateur, la publicité peut aussi utiliser l'impératif.

Apprenez *une autre langue !*
Prends *soin de toi !* (Garnier)

Des constructions avec le verbe **devoir** appliqué à l'interlocuteur (ou avec le verbe **falloir**), souvent au conditionnel.

Tu devrais soigner *un peu plus ton image, tu n'es pas n'importe qui.*
Il faudrait que *tu commences à étudier, les examens approchent !*

- Des propositions conditionnelles.

Si tu ne te dépêches pas, *tu manqueras ton avion.*
Si j'étais toi, *je n'irais pas voir le directeur maintenant, il est furieux !*

- Des questions (souvent avec les verbes **pouvoir** ou **devoir**).

Ne devrais-tu pas *renoncer à ce voyage et rester chez toi avec ta femme ?*
Vous ne pourriez pas *vous reposer pendant quelques jours ? Ça vous ferait du bien...*
Pourquoi *tu ne fais pas un voyage en France ? Ça te permettrait de pratiquer ton français.*

- Des phrases courtes, souvent nominales, chargées d'implicite à interpréter. C'est le cas de nombreux slogans publicitaires et conseils donnés à des supérieurs ou à des inconnus.

Lentilles Optic 2000, pour la meilleure des vues.
Un grand danger, là !
Attention ! Votre parapluie...

- On peut aussi utiliser des formes plus explicites de conseil, avec des verbes tels que **conseiller**, **suggérer**, **recommander**.

Je te suggère de *recommencer, ça te prendra moins de temps...*
Je vous recommande *la tarte aux oignons, elle est excellente !*

7 LE FRANÇAIS D'AUJOURD'HUI

POSER UNE QUESTION (LA QUESTION DIRECTE)

Contrairement à une idée reçue, il n'y a pas une forme de question appartenant plutôt à l'écrit et une autre à l'oral. Les formes appartiennent aux deux, écrit et oral, et dépendent plutôt du contexte. À l'oral, et dans les formes plus relaché de l'écrit, il est plus fréquent de mélanger les registres.

Registre soutenu

La structure inversée verbe-pronom personnel sujet est caractéristique du registre soutenu.

Aimes-tu le concombre ? Comment allez-vous ?
Que fait-il dans la vie ? Quel jour êtes-vous libre ?
Qui est-ce ?

À la troisième personne, quand le verbe se termine par une voyelle, on ajoute **-t-** entre le verbe et le pronom pour faciliter la prononciation.

*Quand arrêtera**-t-**il de jouer de la trompette ?*
*Mange**-t-**elle bien ?*

Même si le sujet est défini par un nom, on garde le pronom inversé.

Cette enfant mange-t-elle bien ?
Notre technicien vous a-t-il contacté ?
Pourquoi Isabelle ne vient-elle pas avec nous ?
Comment Hugo fait-il pour maigrir ?

Quand le mot interrogatif est **que**, le nom sujet se situe en tête de phrase ou bien prend la place du pronom inversé. Dans ce cas, il n'y a pas de tiret entre le verbe et le nom.

*Pierre, **que** fait-il dans la vie ?*
***Que** fait Pierre dans la vie ?*

Registre standard

La forme **est-ce que** caractérise les questions du registre standard.

***Est-ce que** tu aimes le concombre ?*
*Comment **est-ce que** vous allez ?*
*Qu'**est-ce qu'**il fait dans la vie ?*

***Est-ce qu'**elle mange bien ?*
*Pourquoi **est-ce qu'**Isabelle ne vient pas ?*

Registre familier

À l'oral et dans un registre de langue familier, on exprime l'interrogation avec une intonation montante.

Vous comprenez ? *Tu aimes le concombre ?* *Il fait quoi dans la vie ?*

Les mots interrogatifs **qui**, **quand**, **où**, **comment** peuvent être placés indifféremment en tête de phrase ou derrière le verbe.

Qui c'est, ce type ? = C'est qui, ce type ?
Comment il s'appelle ? = Il s'appelle comment ?

Attention ! Quand le mot interrogatif **qui** est aussi sujet du verbe, il ne peut pas être à la fin de la question.

***Qui** a téléphoné ?*

Quand le mot interrogatif est derrière le verbe, il porte normalement l'intonation montante.

Tu vas où ? *Ils arrivent quand ?* *Ça coûte combien ?*

Quand le mot interrogatif est en tête de phrase, il y a souvent deux intonations montantes, une sur le mot interrogatif et une autre sur le verbe.

Où tu vas ? *Quand ils arrivent ?* *Pourquoi tu dis ça ?*

Mais, plus la question est longue, plus les intonations montantes se multiplient.

Quand ils arrivent, tes cousins ?

LA NÉGATION

Ne et **pas** sont deux particules négatives. **Ne** est placé avant le verbe (ou l'auxiliaire) conjugué et **pas** après celui-ci.

*Je **ne** comprends **pas**.*
*Je **n'**ai **pas** compris.*
***Ne** fais **pas** de bruit, papa dort !*
*Pourquoi **ne** venez-vous **pas** avec nous ?*

Les particules **ne** et **pas** précèdent le verbe quand celui-ci est à l'infinitif.

***Ne pas** fumer.*
*Mes parents m'ont dit de **ne pas** rentrer trop tard.*

Dans un infinitif passé, **ne** et **pas** précèdent ou encadrent l'auxiliaire **avoir**.

*Les Dubois sont furieux de **ne pas avoir été** invités / de **n'avoir pas été** invités.*

La négation peut porter sur l'ensemble de la phrase ou bien sur un élément de la phrase.

*Je **ne** fume **pas**.*
*Je **ne** lis **pas** de romans historiques (mais je lis des polars).*

Devant **a**, **e**, **i**, **o**, **u**, **y** et **h** muet, **ne** devient **n'**.

Il ***n'****est* ***pas*** *très sympathique.*
N'*oublie* ***pas*** *notre rendez-vous !*
Elle ***n'****habite* ***pas*** *à Paris.*
Il ***n'****aurait* ***pas*** *dû écrire cette lettre.*

Les pronoms compléments se placent juste devant le verbe conjugué.

Vous ***ne*** *m'avez* ***pas*** *répondu.*
N'*y allez* ***pas*** *!*

Dans des phrases sans verbe, **pas** peut s'utiliser seul devant un pronom tonique, un nom, un adjectif ou un adverbe.
● *Qui veut jouer au tennis avec moi ?*
❍ ***Pas*** *moi !*

La négation peut être atténuée ou précisée par l'ajout d'un adverbe : **pas bien**, **pas vraiment**, **pas beaucoup**, **pas très**, **pas tout à fait**, **pas clairement**, **pas souvent**...

Il ***n'****est* ***pas très*** *sympathique.*
Le prof ***n'****a* ***pas*** *expliqué* ***clairement*** *ce que l'on devait faire.*

Certains adverbes (notamment ceux qui expriment la probabilité et le doute) se placent avant **pas**.

Tu ne connais ***peut-être*** */* ***sans doute*** */* ***probablement*** */* ***certainement pas*** *la nouvelle.*

LES RIMES

▶ La rime féminine : répétition d'une syllabe contenant un *e* muet non accentué.

folie
mélancolie

▶ La rime masculine : répétition d'une syllabe accentuée.

chanté
beauté

▶ La rime pauvre : répétition d'une seule voyelle.

locaux - animaux
battu - perdu

▶ La rime suffisante : répétition de consonne et voyelle.

cheval - fatal
opportune - lune

▶ La rime riche : consonne + voyelle + consonne.

mineur - bonheur
grise - mise

8 C'EST LA LUTTE FINALE !

RAPPORTER DES PAROLES

On peut rapporter les paroles d'une personne d'une manière plus ou moins fidèle.

- *Il a dit qu'il refusait de venir.*
- *Mais non, tu dramatises tout ! Il a simplement dit qu'il ne pouvait pas venir.*
- *Qu'est-ce qu'il a dit exactement ?*
- *Il a dit : « Je ne peux pas venir. »*

Les paroles originales directement rapportées sont entre guillemets.

Il a dit : « J'ai rencontré ta sœur il y a deux jours, juste devant chez moi. »

Quand les paroles originales ne sont pas directement rapportées, les pronoms, les possessifs, les temps des verbes, les indications temporelles et spatiales, etc. doivent souvent être adaptés.

Il a dit qu'il avait rencontré ma sœur deux jours auparavant juste devant chez lui.

Les adaptations des indications temporelles et spatiales

Elles sont nécessaires quand le moment et le lieu où l'on rapporte les paroles ne coïncident pas avec le moment et le lieu où les paroles ont été prononcées.

- *Qu'est-ce que vous faites ici ?*
- *Je viens chercher mon sac que j'ai oublié en classe.*
- *Vous le récupérerez demain, votre sac. Le lycée est fermé maintenant !*

Quelques jours plus tard, le lycéen rapporte cette conversation :

Le pion m'a demandé ce que je faisais là, dans l'école. Je lui ai expliqué que j'avais oublié mon sac dans la salle de classe et que je venais le chercher. Alors il m'a dit que je le récupérerais le lendemain parce que le lycée était fermé à cette heure-là.

Les adaptations des temps du verbe

Quand le verbe introducteur (**dire** ou autre) est au présent, on ne modifie pas le temps du verbe.

PRÉSENT	PRÉSENT
***J'ai** faim.*	*Il dit qu'**il a** faim.*

PASSÉ COMPOSÉ	PASSÉ COMPOSÉ
***Je suis arrivé** en retard.*	*Il dit qu'**il est arrivé** en retard.*

FUTUR	FUTUR
***Je viendrai** te voir prochainement.*	*Il dit qu'**il viendra** me voir prochainement.*

Quand le verbe introducteur (**dire** ou autre) est au passé, on modifie la plupart des temps des verbes.

PRÉSENT	IMPARFAIT
J'ai *faim.*	*Il a dit qu'**il avait** faim.*

PASSÉ COMPOSÉ	PLUS-QUE-PARFAIT
Je suis arrivé *en retard.*	*Il a dit qu'**il était arrivé** en retard.*

FUTUR	CONDITIONNEL PRÉSENT
Je viendrai *te voir prochainement.*	*Il a dit qu'**il viendrait** me voir prochainement.*

Mais quelques temps ne changent pas.

IMPARFAIT	IMPARFAIT
Je dormais.	*Il a dit qu'**il dormait**.*

PLUS-QUE-PARFAIT	PLUS-QUE-PARFAIT
J'avais expliqué *plusieurs fois comment faire.*	*Il a dit qu'**il avait expliqué**...*

En français, la modification du temps du verbe est une façon, pour le rapporteur, d'exprimer sa neutralité.

*Le patron **a affirmé** que **tu étais** incompétent.* (= C'est lui qui a dit ça, pas moi. Je rapporte seulement ses paroles.)
*Paul **a dit** que **tu avais** le profil idéal pour ce poste.* (= Ce sont les paroles que Paul a prononcées, je me charge seulement de les rapporter.)

L'absence de modification du temps du verbe peut signifier que l'on adhère à la signification des paroles.

*Le patron **a affirmé** que **tu es** très compétent pour faire ce travail.* (= Et je suis d'accord.)
*Paul **a dit** que **tu as** le profil idéal pour ce poste.* (= Ce sont les paroles de Paul, mais j'adhère à son opinion.)

Rapporter une phrase déclarative (affirmation ou négation)

En plus du verbe **dire**, on peut rapporter une phrase déclarative avec d'autres verbes comme **déclarer**, **affirmer**, **nier**, **jurer**, **répondre**, **expliquer**, **répliquer**, **refuser**... Ces verbes ne sont pas neutres comme **dire**. Ils expriment les intentions de communication de l'auteur des paroles ou bien traduisent l'interprétation du rapporteur des paroles.

● *Je veux ce travail fini pour vendredi.*
❍ *Pour vendredi, je ne peux pas !*

Il a dit qu'*il ne pouvait pas pour vendredi.*
Il a refusé de *finir le travail pour vendredi.*

Dans un registre soutenu, quand le sujet des verbes **dire**, **affirmer**, **nier**, **jurer**, **répondre** et le sujet des paroles rapportées coïncident, on emploie une structure infinitive. C'est la même personne qui dit et qui fait l'action rapportée.

*Elle a affirmé **connaître** toutes les personnes présentes.*
*Il nie **avoir rencontré** Olga Bratiskaïa.*
*Elles ont juré **ne pas être** responsables de ce qui s'était passé.*

Rapporter une phrase interrogative

▶ Quand la phrase interrogative est une question totale.

Est-ce que Chloé aime le poisson ?	→	***Il demande si*** *Chloé aime le poisson.* ***Il a demandé si*** *Chloé aimait le poisson.*

▶ Quand la phrase interrogative est une question partielle (**quand**, **comment**, **où**, **pourquoi**, **quel**, etc.).

Quand est-ce que vous viendrez ?	→	*Elle demande* ***quand*** *nous viendrons.*
Pourquoi n'es-tu pas rentré à l'heure ?	→	*Elle a voulu savoir* ***pourquoi*** *je n'étais pas rentré à l'heure.*
Qui a pris mon livre ?	→	*Elle a demandé* ***qui*** *avait pris son livre.*

▶ Quand la phrase interrogative est une question avec **qu'est-ce qui/que**.

Qu'est-ce que vous faites ?	→	*Elle a demandé* ***ce que*** *nous faisions.*
Qu'est-ce qui est arrivé ?	→	*Elle s'est demandé* ***ce qui*** *était arrivé.*

En plus du verbe **demander**, on peut utiliser **vouloir**, **savoir** ou **se demander**.

Rapporter une phrase à l'impératif ou un ordre

Les paroles rapportées peuvent être à l'indicatif et aussi au subjonctif.

		INDICATIF	SUBJONCTIF
Tais-toi un peu !	→	*Elle lui ordonne de se taire.*	*Elle ordonne qu'il se taise.*
Ne venez pas !	→	*Je leur ai dit de ne pas venir.*	*J'ui demandé qu'ils ne viennent pas.*

En plus des verbes **demander** et **dire**, on peut employer d'autres verbes comme **ordonner**, **prier**, **exiger**, **conseiller**, **interdire**... qui expriment les intentions de communication de l'auteur des paroles ou bien traduisent l'interprétation du rapporteur de ces paroles.

LE TON D'UN MESSAGE

On peut adoucir le ton d'un message au moyen de différents procédés.

▶ Formuler une demande au moyen d'une question (souvent avec le verbe **pouvoir**) au lieu d'employer un impératif.

Finissez le compte rendu pour demain !	→	***Vous finirez*** *le compte rendu pour demain, n'est-ce pas ?* ***Pouvez-vous finir*** *le compte rendu pour demain ?*

▶ Employer un conditionnel à la place d'un indicatif.

Pouvez-vous régler cette facture au plus vite...	→	***Pourriez-vous régler*** *cette facture...*
Je souhaite recevoir des renseignements sur...	→	***Je souhaiterais / J'aimerais / J'apprécierais*** *recevoir des renseignements sur...*

- L'emploi de quelques adverbes permet aussi d'adoucir le ton.

  Vous savez ***probablement*** */* ***peut-être*** */* ***certainement*** *que je n'ai pas encore reçu...*

- Ou au contraire de le durcir.

  Vous savez ***parfaitement*** *que je n'ai toujours pas reçu...*

- L'insertion de quelques formules toutes faites atténue également le ton d'un message.

  Nous serons contraints, ***à notre grand regret****, d'engager une procédure léyule.*
  Je n'ai pas encore reçu, ***et il s'agit certainement d'un malentendu****, les produits que je vous ai commandés.*
  Ce retard de paiement, ***nous en sommes convaincus****, est un simple oubli de votre part.*

- L'emploi d'une structure passive ou d'une forme impersonnelle évite de désigner un coupable.

Vous ne m'avez toujours pas remboursé mes frais de voyage...	➔	*Mes frais de voyage* ***ne m'ont toujours pas été remboursés****...*
Vous devez résoudre ce problème.	➔	***Il faut*** *résoudre ce problème.*

ÉMOTIONS ET SENTIMENTS

Exprimer sa gratitude, sa reconnaissance, remercier

- **apprécier** + nom

  J'apprécie *(sincèrement) votre aide.*

- **apprécier** + **ce que**/**ce qui** + indicatif

  J'ai (beaucoup) apprécié ce que *vous avez fait pour nous /* ***ce qui*** *a été fait pour nous.*

- **Comment oublier** / **Je n'oublierai pas** + nom

  Comment oublier *(toutes) ces années ! /* ***Je n'oublierai pas*** *(toutes) ces années.*

- **Comment oublier que**/**ce que**/**ce qui** + indicatif

  Comment oublier que *vous m'avez (toujours) soutenu ?*
  Comment oublier ce que *nous avons vécu ensemble !*

- **Comment vous remercier pour** + nom

  Comment vous remercier pour *votre aide !?*

- **Comment vous remercier pour ce que**/**ce qui** + indicatif

  Comment vous remercier pour ce que *vous avez dit ?*

La structure de l'exclamation, qui est aussi celle de l'interrogation, peut être suivie à l'écrit d'un point d'interrogation ou d'un point d'exclamation ou bien des deux. Dans une exclamation qui commence par « Comment... », il y a effectivement une notion de question ; le locuteur veut dire « Existe-t-il un moyen de... » et signifie ainsi qu'il n'en connaît aucun. Il ne s'agit pas d'une vraie question car le locuteur n'attend aucune réponse, mais d'un recours typiquement rhétorique pour exprimer sa reconnaissance, sa gratitude.

Euh... Merci... enfin... Je ne sais pas comment vous remercier... euh... J'ai été ravi... Bref... C'est avec une grande émotion que... Tout ça pour vous dire... MERCI !

- **Merci de** + nom/infinitif

__Merci de__ votre présence.
__Merci d'__être là un samedi matin.

Attention ! Merci de + infinitif présent peut aussi signifier une demande.

__Merci de__ me laisser passer ! (= Je vous demande de me laisser passer.)

Exprimer des regrets, de la nostalgie, de la mélancolie

- **C'est avec tristesse / mélancolie / émotion que** + indicatif

__C'est avec__ une réelle __émotion que__ je vous dis « adieu » !

Il s'agit ici de la structure de la mise en relief **c'est... que...** Et pour cette raison, elle est suivie de l'indicatif.

- **J'aurais tant aimé que** + subjonctif

__J'aurais tant aimé que__ vous restiez parmi nous.

- **Regretter** + nom

__Je regretterai__ votre compagnie.

- **Regretter de** + infinitif

__Je regrette de__ partir.

- **Regretter ce que/ce qui** + indicatif

__Je regrette ce que__ j'ai dit. __Je regrette ce qui__ s'est produit.

- **Regretter que** + subjonctif

__Je regrette que tu__ ne viennes pas avec moi.

Attention ! Le verbe *regretter* peut se comprendre de deux manières différentes : « Je regrette ma vie d'étudiant peut signifier : « Je n'aurais pas dû la vivre de cette manière » ou, au contraire : « J'aimerais la revivre ». Le contexte et l'intonation peuvent aider à distinguer les deux sens.

Exprimer un souhait, un désir

▶ **Espérer** + infinitif

J'espère vous *revoir bientôt.*

▶ **Espérer que** + indicatif

J'espère que *tu viendras me voir souvent.*

▶ **Souhaiter** + infinitif

Je souhaite *partir en Chine.*

▶ **Souhaiter que** + subjonctif

Je souhaite que *tu viennes avec moi.*

▶ **J'aimerais** + infinitif

J'aimerais *aller en Chine cet été.*

▶ **J'aimerais que** + subjonctif

J'aimerais *(beaucoup / vraiment)* ***que*** *tu m'accompagnes.*

Exprimer sa joie, sa satisfaction

▶ **Être ravi**(e), **heureux/se**, **enchanté**(e) **content**(e) **de** + infinitif

Je suis ravi de *vous connaître.*

▶ **Être ravi**(e), **heureux/se**, **enchanté**(e), **content**(e) **que** + subjonctif

Je suis contente que *vous acceptiez.*

▶ **C'est un plaisir de** + infinitif

C'est un *(véritable / authentique / réel)* ***plaisir de*** *vous accueillir chez moi.*

9 UNE VIE À RACONTER

LE PASSÉ SIMPLE

Le passé simple est un temps du passé qui permet de marquer une certaine distance entre le moment du récit et les faits qu'il rapporte.

Formation

Les verbes en **-er** (tous réguliers)

CHANTER		
je	chant-	-ai
tu		as
il/elle/on		a
nous		-âmes
vous		-âtes
ils/elles		-èrent

Les autres verbes ont toujours les fins de terminaisons suivantes : **-s**, **-s**, **-t**, **-mes**, **-tes**, **-rent**.
C'est leur radical qui change.

	2e groupe	3e groupe		
	FINIR (fin-)	SORTIR (sort-)	PRENDRE (pr-)	SAVOIR (s-)
je	-is	-is	-is	-us
tu	-is	-is	-is	-us
il/elle	-it	-it	-it	-ut
nous	-îmes	-îmes	-îmes	-ûmes
vous	-îtes	-îtes	-îtes	-ûtes
ils/elles	-irent	-irent	-irent	-urent

Attention ! À la première personne et à la deuxième personne du pluriel, on met un accent circonflexe (^) sur la voyelle précédent la terminaison : *nous mangeâmes, vous mangeâtes, nous finîmes, vous finîtes, nous connûmes, vous connûtes...*

Emploi

Contrairement à une idée reçue, le passé simple est toujours employé en français moderne mais généralement limité aux troisièmes personnes du singulier et du pluriel, et dans des genres littéraires comme le roman et le conte.

Le passé simple n'est pas employé dans la langue quotidienne et on lui préfère le passé composé, y compris pour rapporter des faits lointains dans le temps.

LE PLUS-QUE-PARFAIT

Le plus-que-parfait indique qu'une action se déroule avant le moment où l'on parle et avant une autre action passée.

*Quand tu es arrivée, j'**avais** déjà **commandé** parce que j'**étais** déjà **allée** dans ce restaurant.*

Le plus-que-parfait se forme avec l'auxiliaire **avoir** ou **être** à l'imparfait de l'indicatif, suivi du participe passé du verbe.

COMMANDER	
j'	avais commandé
tu	avais commandé
il/elle/on	avait commandé
nous	avions commandé
vous	aviez commandé
ils/elles	avaient commandé

ALLER	
j'	étais allé(e)
tu	étais allé(e)(s)
il/elle/on	était allé(e)
nous	étions allé(e)(s)
vous	étiez allé(e)s
ils/elles	étaient allé(e)s

ÉVITER LES RÉPÉTITIONS : LES SUBSTITUTS LEXICAUX

Au lieu de reprendre un nom par un pronom personnel ou d'autres substituts grammaticaux, on peut le rappeler par un autre nom. Ce substitut peut être un synonyme ou un nom générique et il est souvent introduit par les adjectifs démonstratifs **ce**, **cet**, **cette**, **ces**.

*La **Terre** est née d'un tumulte de feu. La **planète bleue** a eu besoin de 400 millions d'années pour s'apaiser.*
***L'effondrement des tours du World Trade Center** a sans doute choqué l'Amérique pour longtemps. Qui d'ailleurs ne serait pas marqué par **cet évènement** ?*
*La grippe aviaire oblige les paysans à **enfermer** (1) leurs **poules** (2), ce qui les met en colère car **ce traitement** (1) n'est guère favorable à la croissance des **volailles** (2).*
*Il y a un petit **problème** avec le contrat mais **cette complication** va être rapidement résolue par nos avocats.*

Ce substitut peut se référer à l'une des caractéristiques du nom substitué, être une image ou une expression imagée.

***Ronaldinho** gagne pour la troisième fois le trophée de Joueur de l'année ; **le Brésilien**...*
***L'équipe de France** joue demain contre l'équipe d'Italie. **Les Bleus** ont-ils des possilités face aux Italiens prêts à tout pour remporter la compétition ?*

On peut également reprendre une phrase par un nom général comme phénomène, fait, évènement, etc.

La glace fond aux pôles. Ce phénomène inquiète les scientifiques qui étudient le réchauffement climatique.

Ou bien par une nominalisation du verbe de la phrase antérieure.

*Cette année, **le prix du logement à l'achat a diminué. Cette diminution** favorisera-t-elle l'accès à la propriété des familles les plus modestes ?*

LES SUBSTITUTS GRAMMATICAUX

Pour éviter, d'une phrase à l'autre, la répétition pure et simple d'un nom, on peut utiliser divers procédés de reprise soit par des substituts lexicaux, soit par des substituts grammaticaux : pronoms personnels, pronoms démonstratifs, pronoms possessifs et pronoms compléments.

Les pronoms personnels il(s) et elle(s)

Les pronoms personnels (comme les démonstratifs) prennent le genre et le nombre du nom qu'ils remplacent.

__Mon voisin__ a dû être hospitalisé car __il__ (mon voisin) a eu un accident de voiture.
J'ai rencontré __Marine et Sandra__ ce matin. __Elles__ (Marine et Sandra) partent toutes les deux en Erasmus à Londres.
__Alain__ ne pourra pas venir avec nous. __Il__ (Alain) a un examen à préparer pour demain.

Les pronoms démonstratifs : celui, celle, ceux, celles

Ces pronoms ne s'emploient jamais seuls. Ils sont déterminés par la particule **-ci** (ou **-là**), par un complément ou par une phrase relative. Les pronoms démonstratifs remplacent le dernier mot de la phrase précédente et ils s'emploient à la place de **il**(**s**), **elle**(**s**) pour éviter les équivoques.

__Serge Lebon__ vient finalement de faire la connaissance du réalisateur italien __Carlo Ceruti__ ; __celui-ci__ (Carlo) avait été en 2003 le président du jury du festival d'Ankara, où __celui-là__ (Serge) avait présenté son film La Vache.

▶ **Celui de..., celle de..., ceux de..., celles de...**

● *Tu connais ces deux types ?*
❍ ***Celui de** gauche non, mais l'autre, c'est un collègue de Xavier.*

▶ **Celui qui/que..., celle qui/que..., ceux qui/que..., celles qui/que...**

● *Quelles assiettes je mets ?*
❍ *Mets **celles qui** sont dans le buffet de la salle.*

● *Lequel tu préfères ? **Celui que** je porte ou **celui qui** est à laver ?*
❍ *J'aime les deux, tout dépend de la chemise que tu vas mettre avec.*

● *J'ai rencontré Alain. Il était avec le type qui a un énorme tatouage sur le bras droit !*
❍ ***Celui qui** était venu à sa fête d'anniversaire ?*
● *Non, **celui avec qui** on l'a croisé l'autre jour dans la rue.*

▶ **Ceci**, **ce qui** et **ce que**

Ces formes servent à reprendre une phrase, une idée. Elles sont équivalentes à « ce fait ». **Ceci** se met normalement après un point tandis que **ce qui** et **ce que** sont précédés d'une virgule.

Ma grand-mère grinçait des dents en mangeant. ***Ceci*** (= ce fait) *énervait terriblement mon grand-père.*
Ma grand-mère grinçait des dents en mangeant, ***ce qui*** *énervait terriblement mon grand-père.*
Mon frère n'a pas voulu reprendre les affaires familiales, ***ce que*** *papa ne lui a jamais pardonné.*

Les pronoms possessifs : le mien, le tien, le sien...

Tout le monde a des problèmes. Nous avons ***les nôtres*** *et vous avez* ***les vôtres****.*

LES ADJECTIFS		LES PRONOMS
mon ton son	travail	le mien le tien le sien
ma/mon ta/ton sa/son	voiture / amie	la mienne la tienne la sienne
mes tes ses	ami(e)s	les miens/miennes les tiens/tiennes les siens/siennes
notre votre leur	travail / voiture	le/la nôtre le/la vôtre le/la leur
nos vos leurs	problèmes / histoires	les nôtres les vôtres les leurs

Les pronoms compléments : le, la, l', les, lui, leur

- *Quelle* ***robe*** *splendide, mais qu'est-ce qu'elle est chère !*
- *Prends-****la****, je te* ***l'****offre.*

- *J'ai rencontré* ***les sœurs Mercier*** *hier au supermarché.*
- *Ouh ! Ça fait un bail que je ne* ***les*** *ai pas vues.*
- *Ouais, moi non plus je ne* ***les*** *avais pas vues depuis longtemps, mais* ***elles*** *n'ont pas du tout changé !*
- *Et tu* ***leur*** *as parlé ?*

PRÉCIS MÉTHODOLOGIQUE

LE RÉSUMÉ

L'exercice du résumé consiste à reprendre l'essentiel des idées et des arguments d'un texte, sans modifier ni interpréter les intentions de son auteur. Ni même l'ordre dans lequel il les a exposés.

Pour bien résumer un texte, vous devez tout d'abord en faire une lecture globale afin d'en dégager les idées principales et, le cas échéant, relever la position de l'auteur.

Pour y arriver, vous devez vous poser des questions du type :
- De quoi s'agit-il ?
- Quel est le problème posé ?
- Quelles sont les idées principales / secondaires de l'auteur ?
- Quelle est la conclusion / opinion de l'auteur ?

À partir de ces questions, vous obtiendrez le schema du texte. N'oubliez pas que les articulateurs logiques vous aideront à repérer la structure de ce texte.

LE COMPTE RENDU

Un compte rendu, comme un résumé, reprend, dans une formulation propre – ce n'est pas un « copier coller » – les informations essentielles tout en les contractant.

Il présente cependant quelques différences :
- Il comprend une introduction qui va situer le lecteur ou l'auditoire, alors que le résumé n'en a pas ;
- Contrairement au résumé qui doit suivre l'ordre du texte d'origine, le compte rendu permet de réorganiser les informations en les regroupant selon les thèmes ou en les hiérarchisant ;
- Dans un compte rendu, on peut analyser et interpréter les informations du document-source alors que le résumé se contente de les énoncer.

Vous adapterez le compte rendu à l'usage auquel il est destiné. Vous devrez vous poser des questions sur les circonstances de la communication : Qui a dit quoi ? Quel est le titre de tel intervenant ? Comment s'est déroulée l'événement rapporté ?...

L'EXPOSÉ

Avant de commencer à rédiger quoi que ce soit, vous devez cerner le thème de votre exposé ; en fixer les limites ; connaître le public auquel vous allez vous adresser ; le temps dont vous disposerez ; l'espace dans lequel vous interviendrez et les conditions dans lesquelles vous pourrez le réaliser (aspects techniques : vidéoprojecteur, ordinateur, micro...).

À présent, il est temps de commencer.

Mes recherches

Afin de lancer vos recherches, il vous faut d'abord répondre à quelques questions fondamentales (Qui ? Quoi ? Quand ? Où ? Pourquoi ? Comment ?). Il faut ensuite penser à des mots-clés qui vous permettront de collecter un maximum d'informations sur le sujet (contexte, faits, chiffres, dates...).

Documents et prises de notes utiles

Une fois le plan détaillé de votre exposé prêt, triez les documents et informations obtenus pour chaque partie. Séparez les documents selon que vous les distribuerez (photocopies) ou que vous les projetterez (diaporama) pendant votre exposé. Ce tri implique que vous ne conserverez que les informations pertinentes et que vous simplifierez les textes. Vous devez impérativement comprendre ce que vous dites ! Ne copiez pas des phrases dont vous ne pourriez pas expliquer le sens si on vous posait des questions dessus.

Organiser mes notes

On ne lit pas un exposé. Vous ne devez donc pas rédiger votre texte, à la différence du discours. Par contre, vous devez organiser vos notes et vous appuyez dessus pour que votre exposé soit le plus clair et le plus aéré possible. Si vous accompagnez votre exposé d'un diaporama, les diapositives doivent être un support mais en aucun cas elles ne doivent reproduire ce que vous dites. Celles-ci doivent être les plus schématiques possibles (reprise des mots-clés, idées principales sous forme de schémas, images qui complètent vos mots...). Quant à vos notes, elles doivent être rédigées dans un style télégraphique et vous devez avoir recours à des abréviations.

Un conseil : notez bien les noms propres, les dates, les lieux et les références.

Faire un exposé (écrit ou oral)

Il existe plusieurs types de plan pour faire un exposé :

▶ Exposé thématique
- Introduction (Pourquoi ce sujet ? Que nous apporte-t-il ?...)
- Développement (divisé en sous-parties clairement identifiables)
- Conclusion

▶ Exposé dialectique
Il consiste à confronter des idées à partir d'une question autour d'un thème dont le sujet est discutable et pour lequel plusieurs opinions/options peuvent se justifier.

- Introduction

- Développement qui suivra la démarche suivante :
  - Avantage (ou thèse)
  - Inconvénients (ou antithèse)
  - Synthèse (qui fera le lien entre la thèse et l'antithèse)

- Conclusion

▶ Exposé analytique
Il consiste à d'analyser un problème à partir d'une situation précise : on en analyse les causes et on essaie d'en prévoir aussi les conséquences afin d'envisager des solutions.

• Introduction (qui consistera à présenter la situation de départ)

• Développement qui suivra la démarche suivante :
- Problèmes
- Causes
- Conséquences
- Solutions

• Conclusion

Aidez-vous des connecteurs pour bien faire vos transitions entre les différentes parties de votre exposé.

LA SYNTHÈSE

Synthétiser, c'est savoir dégager l'essentiel de plusieurs documents et en faire le compte rendu dans un seul et même document, qui sera clair et objectif. Pour cela, il faut savoir confronter des informations variées, des opinions contradictoires ou complémentaires. Voici un modèle de tableau qui peut vous aider à mieux faire la synthèse des documents :

	AUTEUR	TITRE	SOURCE	DATE	TYPE DE TEXTE / NATURE DES DOCS
Doc. n°1					
Doc. n°2					
Doc. n°3					

Ensuite, vous devez passer à la rédaction de la synthèse qui suit les règles du compte rendu mais en reprenant et en comparant/opposant plusieurs documents.

LE DISCOURS

Dans un discours, vous devez argumenter et/ou défendre des idées, un point de vue... et chercher à convaincre un interlocuteur. Pour être plus persuasif, vous devez avoir recours à la 1re personne du singulier, ce qui vous implique pleinement. Vous pouvez aussi interpeller votre interlocuteur en employant la 2e personne du singulier ou du pluriel.
Le discours est généralement structuré de la manière suivante :
▶ Une introduction
▶ Un développement qui contient idées et argumentation. Il s'appuie sur des exemples et l'énonciateur a fréquemment recours à des procédés de rhétorique (ex. : figures de style).
▶ Une conclusion

L'ENQUÊTE

Les objectifs

À quelles questions l'enquête cherche-t-elle à répondre ? Formuler les objectifs sous forme de questions.

La préparation

▶ Les questions doivent...
- êtres claires et concises,
- permettre des réponses facilement « gérables », donc « analysables »,
- éviter des réponses pré-orientées.

Pour être facilement « analysables », il est préférable de poser des questions fermées ou semi-fermées.

▶ Classer les réponses (système de classement, notation...).
▶ À qui poser les questions (importance de la sélection de l'échantillon des personnes à interroger) ?

L'enquête

▶ Tester, contrôler (Vos questions sont-elles correctement comprises ? Les réponses sont-elles utilisables ? Faut-il encore changer quelque chose ?).
▶ S'organiser (Se répartir les rôles et veiller à fixer des règles claires).

L'analyse des résultats

Cette analyse se fera selon les objectifs et les critères définis. L'analyse est basée sur des données objectives, à ne pas confondre avec l'interprétation, c'est-à-dire la lecture que vous ferez de ces résultats.

LA LETTRE

Une lettre formelle transmet un message clair et concis. Pratiquement toutes les lettres peuvent s'organiser selon un plan évoluant du passé vers le futur :

▶ Formule d'adresse
▶ Exposé de la situation : on rappelle les faits passés à l'origine du courrier et on peut apporter des détails qui précisent la situation.
Le 12 décembre 2006, je vous ai confié ma voiture (une Peugeot 307) pour que vous répariez le démarreur et l'embrayage. Ces réparations ont fait l'objet de votre facture numéro 12126 du 17 décembre 2006, que j'ai réglée.
Or, cinq jours après votre intervention, mon véhicule ne fonctionne toujours pas correctement.
▶ Objectif de la lettre : c'est ce que les signataires demandent, veulent obtenir.
Je vous invite donc à me rembourser le montant de cette facture dès réception de ce courrier.
▶ Conclusion : elle permet d'apporter un ton de cordialité et/ou sert à rappeler l'objectif.
Dans l'attente d'une réponse rapide de votre part...
▶ Salutations et formules de politesse

FAIRE UNE INTRODUCTION

L'introduction contient :
▶ une amorce, c'est-à-dire une phrase qui sera une « entrée en matière » en lien avec le sujet abordé et qui servira à le resituer dans son contexte (social, politique, littéraire et / ou historique). C'est un point fondamental pour capter l'intérêt de l'auditoire ou du lecteur ;

▶ la problématique qui prendra souvent la forme d'une (ou plusieurs) question(s) ;

▶ l'annonce du plan où apparaîtront clairement les différentes parties de votre exposé, conférence...

FAIRE UNE CONCLUSION

La conclusion reprend les principaux points du développement pour apporter des éléments de réponse au problème posé dans l'introduction. Vous ne devez pas arriver à une conclusion sans que celle-ci ne soit fondée sur des points traités dans le développement. La conclusion, c'est aussi le moment où l'on propose d'élargir le débat ou d'exposer un avis personnel. Pour lui donner une note plus personnelle encore, vous pouvez la compléter par une citation. Dans ce cas, n'oubliez d'en indiquer l'auteur !

LIRE/COMMENTER DES CHIFFRES ET DES TABLEAUX

Commenter des chiffres

- Repérer la nature des éléments chiffrés ;
- Les interpréter plus systématiquement ;
- Les interpréter plus globalement.

Lire et comprendre un tableau

- Observer un tableau ;
- L'interpréter plus systématiquement ;
- L'interpréter plus globalement.

Ne perdez jamais de vue que des chiffres isolés, comme dans un tableau, déforment la réalité. Ils ne sont jamais neutres : leur interprétation est toujours liée à contexte (historique et économique).

LA PRISE DE NOTES

Que prendre en notes ?

- Les mots-clés.
- Les articulations logiques (conséquence, cause, but, opposition…) et temporelles.

Comment noter ?

Vous devez écrire plus vite, d'une part en supprimant les mots inutiles (écrire en style télégraphique), d'autre part en employant des abréviations.

- Supprimer des mots : les articles, certaines prépositions, le verbe *être* et ses équivalents…

- Nominaliser
  Le premier vaccin contre la grippe aviaire est au point et sera commercialisé dès le mois de février.
  → *février : commercialisation vaccin grippe aviaire.*

- Supprimer des lettres intermédiaires
  problème → pb, développement → dvt, évolution → évoluto, tous → ts, c'est-à-dire → càd…

- Supprimer des syllabes finales
  industrie → ind., démographie → démo

- Utiliser des symboles
  → *entraîne, provoque*
  = *égal*

Tableau de conjugaison

Les participes passés figurent entre parenthèses à côté de l'infinitif.
L'astérisque * à côté de l'infinitif indique que ce verbe se conjugue avec l'auxiliaire **être**.

VERBES AUXILIAIRES

AVOIR (eu)

• ***Avoir*** *indique la possession. C'est aussi le principal verbe auxiliaire aux temps composés :* j'ai parlé, j'ai été, j'ai fait...

INDICATIF						
présent	**passé composé**	**imparfait**	**plus-que-parfait**	**passé simple**	**futur simple**	**futur antérieur**
j'ai	j'ai eu	j'avais	j'avais eu	j'eus	j'aurai	j'aurai eu
tu as	tu as eu	tu avais	tu avais eu	tu eus	tu auras	tu auras eu
il/elle/on a	il/elle/on a eu	il/elle/on avait	il/elle/on avait eu	il/elle/on eut	il/elle/on aura	il/elle/on aura eu
nous avons	nous avons eu	nous avions	nous avions eu	nous eûmes	nous aurons	nous aurons eu
vous avez	vous avez eu	vous aviez	vous aviez eu	vous eûtes	vous aurez	vous aurez eu
ils/elles ont	ils/elles ont eu	ils/elles avaient	ils/elles avaient eu	ils/elles eurent	ils/elles auront	ils/elles auront eu

SUBJONCTIF		CONDITIONNEL		IMPÉRATIF
présent	**passé**	**présent**	**passé (1re forme)**	**présent**
que j'aie	que j'aie eu	j'aurais	j'aurais eu	
que tu aies	que tu aies eu	tu aurais	tu aurais eu	aie
qu'il/elle/on ait	qu'il/elle/on ait eu	il/elle/on aurait	il/elle/on aurait eu	
que nous ayons	que nous ayons eu	nous aurions	nous aurions eu	ayons
que vous ayez	que vous ayez eu	vous auriez	vous auriez eu	ayez
qu'ils/elles aient	qu'ils/elles aient eu	ils/elles auraient	ils/elles auraient eu	

ÊTRE (été)

• ***Être*** *est aussi le verbe auxiliaire aux temps composés de tous les verbes pronominaux :* se lever, se taire, *etc. et de certains autres verbes :* venir, arriver, partir, *etc.*

INDICATIF						
présent	**passé composé**	**imparfait**	**plus-que-parfait**	**passé simple**	**futur simple**	**futur antérieur**
je suis	j'ai été	j'étais	j'avais été	je fus	je serai	j'aurai été
tu es	tu as été	tu étais	tu avais été	tu fus	tu seras	tu auras été
il/elle/on est	il/elle/on a été	il/elle/on était	il/elle/on avait été	il/elle/on fut	il/elle/on sera	il/elle/on aura été
nous sommes	nous avons été	nous étions	nous avions été	nous fûmes	nous serons	nous aurons été
vous êtes	vous avez été	vous étiez	vous aviez été	vous fûtes	vous serez	vous aurez été
ils/elles sont	ils/elles ont été	ils/elles étaient	ils/elles avaient été	ils/elles furent	ils/elles seront	ils/elles auront été

SUBJONCTIF		CONDITIONNEL		IMPÉRATIF
présent	**passé**	**présent**	**passé (1re forme)**	**présent**
que je sois	que j'aie été	je serais	j'aurais été	
que tu sois	que tu aies été	tu serais	tu aurais été	sois
qu'il/elle/on soit	qu'il/elle/on ait été	il/elle/on serait	il/elle/on aurait été	
que nous soyons	que nous ayons été	nous serions	nous aurions été	soyons
que vous soyez	que vous ayez été	vous seriez	vous auriez été	soyez
qu'ils/elles soient	qu'ils/elles aient été	ils/elles seraient	ils/elles auraient été	

VERBES SEMI-AUXILIAIRES

ALLER* (allé)

• *Dans sa fonction de semi-auxiliaire, **aller** + infinitif permet d'exprimer un futur proche.*

INDICATIF						
présent	**passé composé**	**imparfait**	**plus-que-parfait**	**passé simple**	**futur simple**	**futur antérieur**
je vais tu vas il/elle/on va nous allons vous allez ils/elles vont	je suis allé(e) tu es allé(e) il/elle/on est allé(e) nous sommes allé(e)s vous êtes allé(e)(s) ils/elles sont allé(e)s	j'allais tu allais il/elle/on allait nous allions vous alliez ils/elles allaient	j'étais allé(e) tu étais allé(e) il/elle/on était allé(e) nous étions allé(e)s vous étiez allé(e)(s) ils/elles étaient allé(e)s	j'allai tu allas il/elle/on alla nous allâmes vous allâtes ils/elles allèrent	j'irai tu iras il/elle/on ira nous irons vous irez ils/elles iront	je serai allé(e) tu seras allé(e) il/elle/on sera allé(e) nous serons allé(e)s vous serez allé(e)(s) ils/elles seront allé(e)s
SUBJONCTIF		**CONDITIONNEL**		**IMPÉRATIF**		
présent	**passé**	**présent**	**passé (1re forme)**	**présent**		
que j'aille que tu ailles qu'il/elle/on aille que nous allions que vous alliez qu'ils/elles aillent	que je sois allé(e) que tu sois allé(e) qu'il/elle/on soit allé(e) que nous soyons allé(e)s que vous soyez allé(e)(s) qu'ils/elles soient allé(e)s	j'irais tu irais il/elle/on irait nous irions vous iriez ils/elles iraient	je serais allé(e) tu serais allé(e) il/elle/on serait allé(e) nous serions allé(e)s vous seriez allé(e)(s) ils/elles seraient allé(e)s	va allons allez		

VENIR* (venu)

• *Dans sa fonction de semi-auxiliaire, **venir de** + infinitif permet d'exprimer un passé récent.*

INDICATIF					SUBJONCTIF	
présent	**passé composé**	**imparfait**	**plus-que-parfait**	**passé simple**	**futur simple**	**futur antérieur**
je viens tu viens il/elle/on vient nous venons vous venez ils/elles viennent	je suis venu(e) tu es venu(e) il/elle/on est venu(e) nous sommes venu(e)s vous êtes venu(e)(s) ils/elles sont venus(e)s	je venais tu venais il/elle/on venait nous venions vous veniez ils/elles venaient	j'étais venu(e) tu étais venu(e) il/elle/on était venu(e) nous étions venu(e)s vous étiez venu(e)(s) ils/elles étaient venu(e)s	je vins tu vins il/elle/on vint nous vînmes vous vîntes ils/elles vinrent	je viendrai tu viendras il/elle/on viendra nous viendrons vous viendrez ils/elles viendront	je serai venu(e) tu seras venu(e) il/elle/on sera venu(e) nous serons venu(e)s vous serez venu(e)(s) ils/elles seront venu(e)s
SUBJONCTIF		**CONDITIONNEL**		**IMPÉRATIF**		
présent	**passé**	**présent**	**passé (1re forme)**	**présent**		
que je vienne que tu viennes qu'il/elle/on vienne que nous venions que vous veniez qu'ils/elles viennent	que je sois venu(e) que tu sois venu(e) qu'il/elle/on soit venu(e) que nous soyons venu(e)s que vous soyez venu(e)(s) qu'ils/elles soient venu(e)s	je viendrais tu viendrais il/elle/on viendrait nous viendrions vous viendriez ils/elles viendraient	je serais venu(e) tu serais venu(e) il/elle/on serait venu(e) nous serions venu(e)s vous seriez venu(e)(s) ils/elles seraient venu(e)s	viens venons venez		

VERBES EN *-ER* (1er GROUPE)

PARLER (parlé)

• *Les trois personnes du singulier et la 3e personne du pluriel se prononcent* [parl] *au présent de l'indicatif.*

INDICATIF						
présent	**passé composé**	**imparfait**	**plus-que-parfait**	**passé simple**	**futur simple**	**futur antérieur**
je parle tu parles il/elle/on parle nous parlons vous parlez ils/elles parlent	j'ai parlé tu as parlé il/elle/on a parlé nous avons parlé vous avez parlé ils/elles ont parlé	je parlais tu parlais il/elle/on parlait nous parlions vous parliez ils/elles parlaient	j'avais parlé tu avais parlé il/elle/on avait parlé nous avions parlé vous aviez parlé ils/elles avaient parlé	je parlai tu parlas il/elle/on parla nous parlâmes vous parlâtes ils/elles parlèrent	je parlerai tu parleras il/elle/on parlera nous parlerons vous parlerez ils/elles parleront	j'aurai parlé tu auras parlé il/elle/on aura parlé nous aurons parlé vous aurez parlé ils/elles auront parlé
SUBJONCTIF		**CONDITIONNEL**		**IMPÉRATIF**		
présent	**passé**	**présent**	**passé (1re forme)**	**présent**		
que je parle que tu parles qu'il/elle/on parle que nous parlions que vous parliez qu'ils/elles parlent	que j'aie parlé que tu aies parlé qu'il/elle/on ait parlé que nous ayons parlé que vous ayez parlé qu'ils/elles aient parlé	je parlerais tu parlerais il/elle/on parlerait nous parlerions vous parleriez ils/elles parleraient	j'aurais parlé tu aurais parlé il/elle/on aurait parlé nous aurions parlé vous auriez parlé ils/elles auraient parlé	parle parlons parlez		

AUTRES VERBES (2e ET 3e GROUPES)

CHOISIR (choisi)

• *Les verbes* ***grandir*** *et* ***maigrir*** *se conjuguent sur ce modèle.*

INDICATIF						
présent	**passé composé**	**imparfait**	**plus-que-parfait**	**passé simple**	**futur simple**	**futur antérieur**
je choisis tu choisis il/elle/on choisit nous choisissons vous choisissez ils/elles choisissent	j'ai choisi tu as choisi il/elle/on a choisi nous avons choisi vous avez choisi ils/elles ont choisi	je choisissais tu choisissais il/elle/on choisissait nous choisissions vous choisissiez ils/elles choisissaient	j'avais choisi tu avais choisi il/elle/on avait choisi nous avions choisi vous aviez choisi ils/elles avaient choisi	je choisis tu choisis il/elle/on choisit nous choisîmes vous choisîtes ils/elles choisirent	je choisirai tu choisiras il/elle/on choisira nous choisirons vous choisirez ils/elles choisiront	j'aurai choisi tu auras choisi il/elle/on aura choisi nous aurons choisi vous aurez choisi ils/elles auront choisi
SUBJONCTIF		**CONDITIONNEL**		**IMPÉRATIF**		
présent	**passé**	**présent**	**passé (1re forme)**	**présent**		
que je choisisse que tu choisisses qu'il/elle/on choisisse que nous choisissions que vous choisissiez qu'ils/elles choisissent	que j'aie choisi que tu aies choisi qu'il/elle/on ait choisi que nous ayons choisi que vous ayez choisi qu'ils/elles aient choisi	je choisirais tu choisirais il/elle/on choisirait nous choisirions vous choisiriez ils/elles choisiraient	j'aurais choisi tu aurais choisi il/elle/on aurait choisi nous aurions choisi vous auriez choisi ils/elles auraient choisi	choisis choisissons choisissez		

DEVOIR (dû)

INDICATIF						
présent	**passé composé**	**imparfait**	**plus-que-parfait**	**passé simple**	**futur simple**	**futur antérieur**
je dois tu dois il/elle/on doit nous devons vous devez ils/elles doivent	j'ai dû tu as dû il/elle/on a dû nous avons dû vous avez dû ils/elles ont dû	je devais tu devais il/elle/on devait nous devions vous deviez ils/elles devaient	j'avais dû tu avais dû il/elle/on avait dû nous avions dû vous aviez dû ils/elles avaient dû	je dus tu dus il/elle/on dut nous dûmes vous dûtes ils/elles durent	je devrai tu devras il/elle/on devra nous devrons vous devrez ils/elles devront	j'aurai dû tu auras dû il/elle/on aura dû nous aurons dû vous aurez dû ils/elles auront dû
SUBJONCTIF		**CONDITIONNEL**		**IMPÉRATIF**		
présent	**passé**	**présent**	**passé (1re forme)**	**présent**		
que je doive que tu doives qu'il/elle/on doive que nous devions que vous deviez qu'ils/elles doivent	que j'aie dû que tu aies dû qu'il/elle/on ait dû que nous ayons dû que vous ayez dû qu'ils/elles aient dû	je devrais tu devrais il/elle/on devrait nous devrions vous devriez ils/elles devraient	j'aurais dû tu aurais dû il/elle/on aurait dû nous aurions dû vous auriez dû ils/elles auraient dû	dois devons devez		

DIRE (dit)

INDICATIF						
présent	**passé composé**	**imparfait**	**plus-que-parfait**	**passé simple**	**futur simple**	**futur antérieur**
je dis tu dis il/elle/on dit nous disons vous dites ils/elles disent	j'ai dit tu as dit il/elle/on a dit nous avons dit vous avez dit ils/elles ont dit	je disais tu disais il/elle/on disait nous disions vous disiez ils/elles disaient	j'avais dit tu avais dit il/elle/on avait dit nous avions dit vous aviez dit ils/elles avaient dit	je dis tu dis il/elle/on dit nous dîmes vous dîtes ils/elles dirent	je dirai tu diras il/elle/on dira nous dirons vous direz ils/elles diront	j'aurai dit tu auras dit il/elle/on aura dit nous aurons dit vous aurez dit ils/elles auront dit
SUBJONCTIF		**CONDITIONNEL**		**IMPÉRATIF**		
présent	**passé**	**présent**	**passé (1re forme)**	**présent**		
que je dise que tu dises qu'il/elle/on dise que nous disions que vous disiez qu'ils/elles disent	que j'aie dit que tu aies dit qu'il/elle/on ait dit que nous ayons dit que vous ayez dit qu'ils/elles aient dit	je dirais tu dirais il/elle/on dirait nous dirions vous diriez ils/elles diraient	j'aurais dit tu aurais dit il/elle/on aurait dit nous aurions dit vous auriez dit ils/elles auraient dit	dis disons dites		

FAIRE (fait)

• *La forme* ***-ai*** *dans* ***nous faisons*** *se prononce* [ɛ].

INDICATIF

présent	passé composé	imparfait	plus-que-parfait	passé simple	futur simple	futur antérieur
je fais	j'ai fait	je faisais	j'avais fait	je fis	je ferai	j'aurai fait
tu fais	tu as fait	tu faisais	tu avais fait	tu fis	tu feras	tu auras fait
il/elle/on fait	il/elle/on a fait	il/elle/on faisait	il/elle/on avait fait	il/elle/on fit	il/elle/on fera	il/elle/on aura fait
nous faisons	nous avons fait	nous faisions	nous avions fait	nous fîmes	nous ferons	nous aurons fait
vous faites	vous avez fait	vous faisiez	vous aviez fait	vous fîtes	vous ferez	vous aurez fait
ils/elles font	ils/elles ont fait	ils/elles faisaient	ils/elles avaient fait	ils/elles firent	ils/elles feront	ils/elles auront fait

SUBJONCTIF		CONDITIONNEL		IMPÉRATIF
présent	**passé**	**présent**	**passé (1re forme)**	**présent**
que je fasse	que j'aie fait	je ferais	j'aurais fait	
que tu fasses	que tu aies fait	tu ferais	tu aurais fait	fais
qu'il/elle/on fasse	qu'il/elle/on ait fait	il/elle/on ferait	il/elle/on aurait fait	
que nous fassions	que nous ayons fait	nous ferions	nous aurions fait	faisons
que vous fassiez	que vous ayez fait	vous feriez	vous auriez fait	faites
qu'ils/elles fassent	qu'ils/elles aient fait	ils/elles feraient	ils/elles auraient fait	

POUVOIR (pu)

• *Dans les questions avec inversion verbe-sujet, on utilise la forme ancienne de la 1re personne du singulier :* Puis-je vous renseigner ?

INDICATIF

présent	passé composé	imparfait	plus-que-parfait	passé simple	futur simple	futur antérieur
je peux	j'ai pu	je pouvais	j'avais pu	je pus	je pourrai	j'aurai pu
tu peux	tu as pu	tu pouvais	tu avais pu	tu pus	tu pourras	tu auras pu
il/elle/on peut	il/elle/on a pu	il/elle/on pouvait	il/elle/on avait pu	il/elle/on put	il/elle/on pourra	il/elle/on aura pu
nous pouvons	nous avons pu	nous pouvions	nous avions pu	nous pûmes	nous pourrons	nous aurons pu
vous pouvez	vous avez pu	vous pouviez	vous aviez pu	vous pûtes	vous pourrez	vous aurez pu
ils/elles peuvent	ils/elles ont pu	ils/elles pouvaient	ils/elles avaient pu	ils/elles purent	ils/elles pourront	ils/elles auront pu

SUBJONCTIF		CONDITIONNEL	
présent	**passé**	**présent**	**passé (1re forme)**
que je puisse	que j'aie pu	je pourrais	j'aurais pu
que tu puisses	que tu aies pu	tu pourrais	tu aurais pu
qu'il/elle/on puisse	qu'il/elle/on ait pu	il/elle/on pourrait	il/elle/on aurait pu
que nous puissions	que nous ayons pu	nous pourrions	nous aurions pu
que vous puissiez	que vous ayez pu	vous pourriez	vous auriez pu
qu'ils/elles puissent	qu'ils/elles aient pu	ils/elles pourraient	ils/elles auraient pu

SAVOIR (su)

INDICATIF						
présent	**passé composé**	**imparfait**	**plus-que-parfait**	**passé simple**	**futur simple**	**futur antérieur**
je sais tu sais il/elle/on sait nous savons vous savez ils/elles savent	j'ai su tu as su il/elle/on a su nous avons su vous avez su ils/elles ont su	je savais tu savais il/elle/on savait nous savions vous saviez ils/elles savaient	j'avais su tu avais su il/elle/on avait su nous avions su vous aviez su ils/elles avaient su	je sus tu sus il/elle/on sut nous sûmes vous sûtes ils/elles surent	je saurai tu sauras il/elle/on saura nous saurons vous saurez ils/elles sauront	j'aurai su tu auras su il/elle/on aura su nous aurons su vous aurez su ils/elles auront su
SUBJONCTIF		**CONDITIONNEL**		**IMPÉRATIF**		
présent	**passé**	**présent**	**passé (1re forme)**	**présent**		
que je sache que tu saches qu'il/elle/on sache que nous sachions que vous sachiez qu'ils/elles sachent	que j'aie su que tu aies su qu'il/elle/on ait su que nous ayons su que vous ayez su qu'ils/elles aient su	je saurais tu saurais il/elle/on saurait nous saurions vous sauriez ils/elles sauraient	j'aurais su tu aurais su il/elle/on aurait su nous aurions su vous auriez su ils/elles auraient su	sache sachons sachez		

VOULOIR (voulu)

INDICATIF						
présent	**passé composé**	**imparfait**	**plus-que-parfait**	**passé simple**	**futur simple**	**futur antérieur**
je veux tu veux il/elle/on veut nous voulons vous voulez ils/elles veulent	j'ai voulu tu as voulu il/elle/on a voulu nous avons voulu vous avez voulu ils/elles ont voulu	je voulais tu voulais il/elle/on voulait nous voulions vous vouliez ils/elles voulaient	j'avais voulu tu avais voulu il/elle/on avait voulu nous avions voulu vous aviez voulu ils/elles avaient voulu	je voulus tu voulus il/elle/on voulut nous voulûmes vous voulûtes ils/elles voulurent	je voudrai tu voudras il/elle/on voudra nous voudrons vous voudrez ils/elles voudront	j'aurai voulu tu auras voulu il/elle/on aura voulu nous aurons voulu vous aurez voulu ils/elles auront voulu
SUBJONCTIF		**CONDITIONNEL**		**IMPÉRATIF**		
présent	**passé**	**présent**	**passé (1re forme)**	**présent**		
que je veuille que tu veuilles qu'il/elle/on veuille que nous voulions que vous vouliez qu'ils/elles veuillent	que j'aie voulu que tu aies voulu qu'il/elle/on ait voulu que nous ayons voulu que vous ayez voulu qu'ils/elles aient voulu	je voudrais tu voudrais il/elle/on voudrait nous voudrions vous voudriez ils/elles voudraient	j'aurais voulu tu aurais voulu il/elle/on aurait voulu nous aurions voulu vous auriez voulu ils/elles auraient voulu	veuille voulons veuillez		

Index

A

B

C

D

G

I

L